国会、米・露大使館に進撃し反戦の雄叫びをあげる労学の部隊（6月16日、虎ノ門）

大軍　強化を阻止せよ
〈プー　ニヤフの戦争〉粉砕！

沖縄「平和行進」の先頭で闘う県学連と全学連派遣団（5月18日、宜野湾市役所前）

東海の労学が名古屋市街を戦闘的デモ（6月16日）

「軍事要塞化阻止!」国際通りでデモを貫徹する沖縄の労学（6月22日、那覇市）

大阪市中心街で「ガザ大虐殺弾劾」の声をあげる関西の労学（6月16日）

全国で労学統一行動に決起

ロシア大使館に向け怒りのデモをくりひろげる首都圏の闘う労学（6月16日）

全道の労学が〈プーチンの戦争〉粉砕の拳（6月23日、札幌市）

「志賀原発廃炉！」金大生が奮闘（6月30日、金沢市）

米のガザ人民虐殺への加担弾劾！ 九州の労働者が米領事館に抗議（6月26日、福岡市）

県学連・全学連派遣団が陸自勝連分屯地ゲートを封鎖し抗議の拳（5月18日、うるま市）

「大浦湾の埋め立て阻止！」県学連・全学連が断固弾劾（5月19日、名護市瀬嵩の浜）

沖縄「平和行進」の出発式で奮闘する県学連と全学連（5月18日、宜野湾市役所前）

新世紀

第 332 号（2024 年 9 月）

The Communist

帝国主義打倒！
　スターリン主義打倒！
　　万国の労働者団結せよ！

2024年 9月 No.332 目次

新世紀

日本革命的共産主義者同盟 革命的マルクス主義派 機関誌

8・4国際反戦集会に結集せよ

〈プーチンの戦争〉〈ネタニヤフの戦争〉を打ち砕け!
〈米—中・露激突〉下の戦乱勃発の危機を突き破る革命的反戦闘争の前進を!

来たる八月四日、わが同盟革マル派は全学連・反戦青年委員会とともに、第六十二回国際反戦集会を首都・東京をはじめ札幌、金沢、名古屋、大阪、福岡、沖縄(浦添)の七都市において開催する。

ヒロシマ・ナガサキへの原爆投下から七十九年のこんにち、世界は未曽有の危機にある。ウクライナとパレスチナにおいては、ロシアのプーチンとイスラエルのネタニヤフという〝核兵器を持った今ヒトラー〟どもが人民の大量殺戮に狂奔している。東アジアにおいても、アメリカと中国の権力者どもが中距離核ミサイルの配備競争をくりひろげながら台湾

・南シナ海をめぐる軍事的角逐をエスカレートさせている。

それだけではない。帝国主義諸国の権力者とネオ・スターリン主義中国の権力者とによる強搾取・収奪によって、そしてグローバル・サウス諸国の権力者によって、世界中の労働者・人民は圧政のもとに組みしかれ耐えがたい貧困に突き落とされている。こうしたなかで、欧米諸国では「自国ファースト」を掲げ「反移民・反難民」の排外主義を鼓吹する極右勢力もまた跋扈しているのだ。

まさにいま、侵略戦争と大量殺戮、貧困と圧政が荒れ狂う現代世界は、第三次世界大戦前夜の様相を呈しているではないか。

わが同盟はすべての労働者・学生によびかける。ロシアのウクライナ侵略を震源として激烈化するアメリカと中国・ロシアの〈新東西冷戦〉下で高まる戦乱勃発の危機を突き破れ！　たたかう労働者・学生は、一九六一年の〈米・ソ核実験反対闘争〉以来の革命的伝統を有するわが革命的反戦闘争の真価を今こそ発揮してたたかおうではないか。

いっさいの反戦の闘いを放棄する既成反対運動指導部の腐敗をのりこえ、〈プーチンの戦争〉〈ネタニヤフの戦争〉をうち砕く反戦闘争の炎を燃えあがらせよ！　東アジアにおける米・中の相互対抗的軍事行動に反対し、日本の大軍拡と憲法改悪を阻止する反戦の闘いを巻きおこせ！

ネタニヤフ政権によるガザ人民大虐殺を許すな！

いまイスラエルのネタニヤフ政権は、ガザ地区を封鎖し国連からの食料支援をも遮断して人民を飢餓に突き落としながら、その頭上に容赦なく砲爆撃をくわえている。ガザ地区を廃墟と化し、パレスチナ人民を殺戮しつくすことを狙ったシオニスト権力者によるこの画歴史的な暴虐を断じて許すな！　日本のたたかう労働者・学生は、全世界で起ちあがる労働者・人民の最先頭で、〈ネタニヤフの戦争〉に反対する反戦の闘いを、〈プーチンの戦争〉を粉砕する闘いと結びつけつつ、巨大な闘争を巻きおこすのでなければならない。

七月一日、イスラエル軍は、ガザ南部ハンユニスの東側地域の二五万人の住民にたいして「退避通告」を突きつけた。すでにイスラエル軍の四ヵ月にわたる包囲戦によってガレキの山と化したこの街では、行き場を失った人びとが食料も水も不足し電気が断たれているなかで生きしのいでいる。この地に再び襲いかかっているのがネタニヤフ政権なのだ。断じて許すな！

ネタニヤフが放った軍隊による「ハマス掃討作戦」なるもの、その残忍さを見よ。イスラエル軍は、拘束したパレスチナ人男性の身体にカメラをつけて建物や地下トンネルを捜索させている。この殺人鬼どもは、人民を〝人間の盾〟にしたうえでハマス戦闘員もろとも惨殺しているのだ。侵略軍からガザの住民を守りながら果敢なゲリラ戦を各地でくりひろげているハマス。このゲリラ戦に心底おののいているシオニストどもは、ガザ人民をすべて「ハマス＝テロリスト」とみなして、彼らを片っ端から拘束し、暴行や電気ショック、熱による拷問をくわえているのだ。

ネタニヤフを頭目とするシオニスト政権による殺戮戦こそは、ナチス・ヒトラーのホロコーストと同断の、世紀の蛮行ではないか。この〝二十一世紀に甦ったホロコースト〟は、ガザの全人民二三〇万人の情報を読みこませたＡＩシステムを駆使して、パレスチナの苦難の歴史や文化を伝える者を真っ先に殺戮する、という〝ＡＩ時代の大量殺戮〟でもあるのだ。「パレスチナ人」という民族を、彼らの文化・歴史もろとも抹殺することを狙った〈ネタニヤフの戦争〉、この世紀の暴虐をうち砕くために、全世界の労働者・人民は怒りに燃えて起ちあがれ！

ネタニヤフ政権はいま、シーア派武装勢力ヒズボラへの攻撃＝レバノンへの地上侵攻をも構えている。イスラエル軍がレバノン南部で強行したヒズボラの司令官の爆殺（七月三日）、これにたいしてヒズボラが反撃にうってでるや、ネタニヤフ政権は「レバノンを石器時代に戻す」（国防相ガラント）などと叫びたてた。この戦争狂政権はハマスを援護射撃するヒズボラの壊滅を狙った大規模地上侵攻の引き金をひこうとしているのだ。新たな戦争放火を絶対に阻止せよ！

アメリカのバイデン政権は、二〇〇〇ポンド爆弾などの殺戮兵器をイスラエルに供与しながら、同時に国内の若者やマイノリティの離反を恐れて「停戦案」なるものを口にしている。だがネタニヤフ政権は、このバイデンの〝説得〟など歯牙にもかけずにガザに侵攻しつづけている。ネタニヤフは、「イスラエルに最後まで仕事をさせる」と公言するイスラエル国家の最大の擁護者たるトランプがアメリカ大統領に返り咲くまで、ガザで人民を殺戮しつづけようとしているのだ。

全世界の労働者・人民に訴える。「ガザ・ジェノサイド阻止」の反戦の嵐をさらに巻きおこせ！　全世界人民の怒りの炎で殺人鬼ネタニヤフの政権を包囲せよ！　イスラエルへの軍事的支援をつづける虐殺の共犯者＝バイデン政権を許すな！　アメリカの労働者・人民は、このバイデン政権と串刺しにするかたちで、イスラエルを全面擁護するトランプを弾劾し、「ガザ・ジェノサイド反対」の断固たる闘争に全米各地で決起せよ！

＜プーチンの戦争＞を打ち砕け！

われわれは、プーチンのロシアによるウクライナ侵略をうち砕くために不退転の決意でたたかうのでなければならない。

いま、ウクライナへの軍事支援を強めてきた米欧各国の権力者がのきなみ政治的動揺に見舞われている。

アメリカにおいては、米大統領選に向けた討論会での老いたるバイデンの無様な〝失態〟のゆえに〝トランプ優勢〟の傾向が強まっている。

フランスにおいても、下院選第一回投票で最大の得票率を占めた極右「国民連合」が決選投票で過半数の議席をとることは、――マクロンの「与党連合」が、年金問題などで鋭角的に対立する「左派連合」との選挙協力にふみきったことのゆえに――阻まれたものの、マクロン与党じしんが少数与党に転落し、政権基盤が一挙的に脆弱化したのである。

こうして米欧各国政府が政治的動揺に見舞われているもとで、〝ウクライナへの兵器供与はいずれ滞る〟とにらんで長期戦を構えつつ、東部地域への攻撃に狂奔しているのがプーチンなのだ。

このプーチンと気脈をつうじて「和平交渉」に向けてうごめきはじめたのが、「EUの異端児」＝ハンガリー首相オルバンにほかならない。七月から半年間の任期でEU議長の座についた途端に〝EUの代表〟づらをしてキーウにのりこんだオルバン。このオルバンは、「一時的な停戦と和平交渉の開始」をウクライナ大統領ゼレンスキーに一方的に突きつけた(七月二日)。さらに、EU大統領ミシェルからの「制止」を蹴飛ばしてモスクワを電撃的に訪問し、プーチンと示しあわせて「和平に向けて最短の道を選ぶ」などと謳いあげたのだ(七月五日)。

このオルバンとの会談でプーチンが口にした「和平交渉の条件」とは、ロシアへの併合を一方的に宣言した東部・南部の四州(ルハンスク、ドネツク、ヘルソン、ザポリージャ)からの「ウクライナ軍の撤退」である。これは、「私が大統領になったら戦争を一日で終わらせる」と公言し・ウクライナにたいしてクリミア・ドンバスをロシアに割譲するよう政治的圧力をかけようとしているドナルド・トランプの主張と同様のものなのだ。

明らかにプーチンは、「盟友」トランプの〝大統領返り咲き〟をにらみつつ、このトランプと「自国ファースト」主義者として連携するオルバンとつながりながら、ウクライナに屈服を迫る道筋をつけることに血道をあげているのだ。

プーチン政権はいま、東部戦線のウクライナ軍を北部ハルキウ方面にひきつけることを狙ってハルキウ州への攻撃を強めるとともに、東部ドネツク州各地で攻勢をかけている(三日、同州チャシフヤール付近の地区を制圧)。ウクライナ軍の防空兵器の不足につけこんで商業施設などの人口密集地にたいして滑空誘導爆弾を撃ちこみ、大量の兵士を動員した人海戦術によってウクライナ人民を殺戮しているのだ。

物量にものをいわせたこのロシア軍による卑劣な攻撃にたいして、米欧からの提供が滞ってきたことによる武器・弾薬の決定的な不足のもとで苦戦を強いられながらも、ウクライナの労働者・人民は軍と一致結束して決死のレジスタンスをたたかいぬいている。ウクライナ軍は、長射程のATACMSなどを使って、クリミアやロシア領内のミサイル攻撃システムの破壊に連続的に成功している。

全世界の労働者・人民よ。闘うウクライナ人民を決して孤立させるな！　滑空誘導弾をウクライナ各地に撃ちこみ、人民を虐殺しているプーチンの蛮行を満腔の怒りを込めて弾劾せよ！　ベラルーシに戦術核兵器部隊を前方配備し、「核戦争」を想定した訓練を強行するプーチン政権を許すな！

とりわけ欧州の労働者・人民に訴える。仏・独などで台頭する極右ナショナリストどもの跳梁を許さず、ウクライナ反戦の闘いを巻きおこせ！　極右ファシストどもが叫びたてる「ウクライナ支援よりも国内経済に予算を回せ」とか「反移民・反難民」とかという排外主義を断固としてうち破れ！

こんにち、世界で一億二〇〇〇万人ともいわれる夥しい数の「難民・避難民」が生みだされているのはなにゆえなのか。帝国主義権力者と、ロシアのFSB権力者およびネオ・スターリン主義中国の権力者とがアフリカなど世界中で戦争の火種をばらまき、貧困や政治的圧制を拡大してきたがゆえではないか。にもかかわらず戦火と貧困から逃れてきた彼らにたいして「職を奪うな」などと排斥しているのが、プーチンから資金援助を受けてきた過去をもつ極右勢力なのだ。この輩どもが跳梁跋扈しているのは、欧州の既成「左翼」の多くが、帝国主義の悪とネオ・スターリン主義の犯罪を暴き弾劾する階級闘争を放棄してきたからではないのか！

今こそ、すべての労働者・人民は、既成「左翼」の腐敗をのりこえ、極右ナショナリストどもの跳梁を許さずたたかおう！　プーチンの悪逆無道の侵略戦争によって抹殺されようとしているウクライナの兄弟たちを何としても守り、この侵略をうち砕く反戦の闘いを、国境を越えたプロレタリア的団結にもとづいて創造することこそが急務なのだ。

ガザ人民を殺戮しているネタニヤフを弾劾するとともに、このネタニヤフと同様の虐殺者プーチンを弾劾する闘いを巻きおこせ！　〈プーチンの戦争〉を粉砕する闘いを、〈ネタニヤフの戦争〉に反対する闘いと結びつけてたたかおう！

たたかうウクライナ人民、とりわけその先頭でたたかうウクライナ左翼の人びとは、「ガザ人民とウクライナ人民との連帯」をよびかけつつ、侵略者にたいしてたたかっている。「ガザ・ジェノサイド反対」に起ちあがり闘うすべての労働者・人民は、ウクライナ人民を無慈悲に虐殺するプーチンにたいしても怒りを燃やし起ちあがれ！

われわれは、ロシアの労働者・人民によびかける。プーチンがウクライナから四州を強奪しようとしているいま、闘うウクライナ人民と連帯して、「ウクライナ反戦―FSB強権型支配体制打倒」の闘いに起て！

ロシアの支配者どもは、ソ連邦の崩壊後に国有財産を簒奪して支配者にのしあがった元スターリニスト官僚にほかならない。この輩どもが「大国ソ連」の版図復活の野望にもとづいてウクライナという国家も民族も抹殺することを狙ってしかけている侵略戦争、それが〈プーチンの戦争〉なのだ。この世紀の犯罪を絶対に許すな！

東アジアにおける戦争勃発の危機を突き破れ！

ここ東アジアにおいても、米・日―中・露の角逐が激化し、いつ戦火が燃えあがるかしれない危機が急激に高まっている。

中国の習近平政権はいま、政治的には、台湾総統・頼清徳を「(台湾人民全体の意志を代表していない）独立勢力」と烙印して政治的な糾弾のトーンを高めるとともに、「経済交流」をアメ玉にして議会多数派の国民党との関係を強めている。そしてこうした政治的攻勢とからみあわせるかたちで、軍事的には中国軍機による軍事的デモンストレーションや金門島周辺海域における台湾船の拿捕をくりかえすなど軍事的な強硬策にうってでているのだ。台湾人民にたいして銃口を突きつけながら「中国への統一」を迫るネオ・スターリン主義権力者の反人民性がむきだしとなっているではないか！

南シナ海において習近平政権は、南沙諸島のアユンギン礁からフィリピン軍を叩きだすために、火力を装備した「海警局船」という名の実質上の軍艦をさしむけてフィリピン海軍の小型船艇を襲撃し、兵士を暴行し銃を強奪する、という暴挙に出た。

これにたいしてフィリピンのマルコス政権は「戦争行為に極めて近い」と悲鳴をあげながら、〝次は反撃する〟と表明した。

こうして中・比両軍が軍事衝突しかねない緊迫したなかで、バイデン政権は、「合同演習」の名のもとに南シナ海に米艦船を出撃させるとともに、日本の岸田政権に命じてこの実質上の軍事行動に自衛隊艦隊を参加させているのだ。

まさにいま、南シナ海において、米・日・比と中国との一触即発の危機が高まっているのだ。

同時に朝鮮半島においても、米・日・韓と朝・露との軍事的角逐が激化している。

プーチン政権は、ウクライナの軍と人民の果敢な反撃の前に累々たるロシア兵の死者を築き、弾薬の不足にも見舞われているがゆえに、「最貧国」の北朝鮮にすがりつかざるをえなくなっている。この政権は、北朝鮮からさらに莫大な弾薬・ミサイルをもらうことへの見返りとして、「〔露朝の〕一方が侵略を受けた場合に相互に軍事的支援をおこなう」という条項を盛りこんだ「包括的戦略パートナーシップ条約」を金正恩政権とのあいだで締結した（露朝首脳会談）。ここに露朝の軍事同盟が構築されたのである。

核大国ロシアからの軍事的後ろ盾をえて欣喜雀躍した金正恩政権は、核攻撃態勢をいっそう強化しつつ「敵対国」と烙印した韓国およびアメリカに対峙している。この政権は自国の労働者・人民を飢餓に突き落としながら開発している核ミサイルの矛先を、かつては「南の同胞」と呼んだ韓国の人民にたいして突きつけているのだ。

これにたいして韓国の尹錫悦政権はバイデン政権とともに「金正恩の斬首作戦」をも含む対北朝鮮の戦争計画にもとづく臨戦態勢をとっている。そして、対北朝鮮の軍事態勢をいっそう強めている米韓と連携して、「米日韓の合同演習」の名において朝鮮半島近海に日本国軍を出撃させているのが岸田政権にほかならない。

露朝首脳会談を転回点として朝・露—韓・米・日の角逐が新たな次元で激化するなかで、朝鮮半島の人民は南・北に引き裂かれ、新たな核戦争の危機に叩きこまれているのだ。

今こそすべての労働者・人民は、東アジアにおける戦乱勃発の危機を突き破る反戦闘争の炎を燃えあがらせるのでなければならない。米・日の対中国の軍事行動反対！　ネオ・スターリン主義中国の反人民的な軍事的強硬策を弾劾せよ！　人民を飢餓に突き落としながら核・ミサイル開発に狂奔する金正恩政権を弾劾せよ！　米・韓・日による対北朝鮮の軍事行動を許すな！　南北の労働者・人民は、相互に敵愾心を煽りたてながら戦争挑発をしかける韓国・北朝鮮の好戦的権力者どもを弾劾して起ちあがれ！

岸田政権の大軍拡反対！　沖縄・南西諸島の軍事要塞化阻止！

同時にわれわれは、岸田政権による先制攻撃体制の構築をはじめとする大軍拡に断固反対してたたかうのでなければならない。

日米両帝国主義権力者は「日米同盟がはじまって以来最大のアップグレード」(四月の首脳会談)などとほざきながら、米軍のもとに完全に組みこんだ日本国軍を、米軍の指令ひとつで中国・北朝鮮に先制攻撃する軍隊へと飛躍させようとしている。

「自衛隊の創設」から七十年——かつてアジアにおける対ソ連圏の「反共」軍事体制を強化するためにアメリカ帝国主義が日本の法的独立とひきかえに日本に締結を迫った日米安保条約。これにもとづく日米軍事同盟は、こんにち没落軍国主義帝国アメリカとネオ・スターリン主義中国およびロシアとの角逐のもとで、文字通りの対中国・対ロシアの攻守同盟として飛躍的に強化され、自衛隊という名の日本国軍は「アメリカの属国軍」として米軍のもとに完全に融合・一体化されているのだ。

見よ！　米日両軍による「演習」という名の対中国の軍事行動を日本全域で展開するために、岸田政権は全国のすべての自衛隊基地・演習地を米軍に提供している。バイデン政権はB52戦略爆撃機を横田基地などに頻繁に飛来させているだけではなく、米軍の中距離核ミサイルの日本への配備をもたくらんでいるのだ。

沖縄・南西諸島を軍事要塞と化す策動が一挙におしすすめられているもとで、沖縄の米兵による女性暴行事件が頻発している。昨年十二月（政府による辺野古「代執行」直前）と今年五月（沖縄県議選告示の直前）に発生していたこれらの事件を、岸田政権は辺野古の埋め立てを強行するために、そしてまた沖縄県議選で県政与党を追い落とすために、卑劣にも県当局に報告せず隠蔽してきたのだ。この岸田政権を満腔の怒りを込めて弾劾せよ！

すべての諸君！　沖縄の労働者・学生を先頭に、「先制攻撃体制の構築阻止！　沖縄・南西諸島の軍事要塞化反対！　辺野古新基地建設阻止！」の反戦反基地の闘いを全国から巻きおこせ！

日米軍事同盟の反人民性がむきだしとなっている このときに、日共中央のように「日米安保条約に対する賛成・反対の違いを超えて、緊急の課題の実現のために広く協力する」などとほざき、「大軍拡反対」・「辺野古新基地反対」の方針から「反安保」を抜きさることほど犯罪的なことはない。党的危機ののりきりにあがきにあがき、「野党連合政権」の夢にすがりついている志位＝田村指導部は、「大軍拡反対」などの運動方針の超右翼的緻密化にますますのめりこんでいるのだ。

この日共中央を弾劾し、「日米の対中国グローバル同盟反対」の旗高く反戦反基地の闘いの炎を燃えあがらせよ！

全学連のたたかう学生はいま、キャンパスから「大軍拡反対」「ガザ・ジェノサイド弾劾」「ロシアのウクライナ侵略反対」の反戦の大衆的なうねりを断固として巻きおこしている。この反戦の闘いと結びつけて、「国公私立大学の学費大幅値上げ反対」、「反戦をたたかう自治会への弾圧反対・大学のファシズム化阻止」を掲げた闘いを大きくつくりだし、これを全国の大学に波及させているのだ。

すべてのたたかう学生は、職場深部でたたかう労働者と連帯して、反戦・反ファシズムの巨大なうねりをつくりだせ！

たたかう労働者は、「連合」・「全労連」の既成労組指導部の抑圧に抗して大軍拡反対・貧困の強制反対の闘いを職場深部において断固として創造しようではないか！

すべての労働者・学生諸君！〈プーチンの戦争〉粉砕・〈ネタニヤフの戦争〉粉砕の反戦の嵐を巻きおこせ！　戦争と貧困と圧政に抗してたたかう全世界の労働者・人民と連帯し、その最先頭にたって、〈米―中・露激突〉下の戦争的危機を突き破る革命的反戦闘争の怒濤の前進を切りひらこうではないか！

全国のたたかう労働者・学生は、８・４国際反戦集会に結集せよ！

（二〇二四年七月八日）

第62回国際反戦集会　海外へのアピール

プーチン政権のウクライナ侵略戦争粉砕！
ネタニヤフ政権のガザ人民ジェノサイド弾劾！
全世界人民の団結で核戦争勃発を阻止しよう！

二〇二四年七月七日　第62回国際反戦集会実行委員会
（全学連・反戦青年委員会・革マル派）

殺人鬼政権による民族抹殺の暴挙を許すな

全世界の労働者・学生・市民諸君！

いまわれわれは、ひとつの民族そのものをこの地上から抹殺しようとする残虐無比な戦争を目の当たりにしている。ひとつはウクライナにたいする〈プーチンの戦争〉であり、ひとつは〈イスラエルのネタニヤフ政権によるガザ人民へのジェノサイド〉である。

「天井のない監獄」と言われる狭いパレスチナ・

ガザ自治区に住む二三〇万人の人民にたいして、ネタニヤフの政府とその軍は、「ハマス根絶」を叫びながら、非人間性と野蛮をむきだしにしたジェノサイドを、今この時も強行している。彼らは、ガザ人民を南へ北へと幾度も追いやったうえで、住居や学校や病院にも・難民キャンプにさえもミサイルと砲弾を雨霰と降らせて、彼らを血の海に沈めている。国境を封鎖し水や食糧や医薬品の搬入を断って、人々を飢餓地獄に突きおとしている。死者はすでに四万人にのぼろうとしており、その約四割はいたいけな子供たちなのだ。瓦礫の下に埋まった犠牲者は数も知れない。

彼ら殺人鬼政権の最終的な目標は、あきらかに、パレスチナという民族そのものをこの地上から抹殺することにある。だからこそ彼らは今、ガザ人民の大虐殺と同時にヨルダン川西岸地区のパレスチナ人民にたいしても、みずからの入植地を拡大しつつ残虐行為をほしいままにしているのだ。

これまで一貫してイスラエルのシオニスト政権の後ろ楯となってきたアメリカ帝国主義は、この残忍きわまりないホロコーストを事実上黙認し、今もミサイルや爆弾を提供している。バイデン政権が時折「紛争の調停案」を唱えてみせるのは、秋の大統領選をまえにして米国の若者を中心に高まる「虐殺反対」の声をかわすためにすぎない。

この〈ネタニヤフの戦争〉と同様の虐殺が、ウクライナではすでに二年半にわたっておこなわれている。ブチャの虐殺、ボロディアンカの虐殺。そしてマリウポリの大虐殺。……人口四〇万人のマリウポリでは、劇場に避難した人民への無差別爆撃をはじめとするロシア軍の残忍な攻撃によって、二万人もの無辜の人民が虐殺されたのだ。

現代のヒトラーたるプーチン皇帝とこれを支えるFSBなどの「シロビキ」どもは、大ロシア民族主義にもとづいて、ウクライナという独立した国を解体しロシア連邦のもとに組みこむことを野望しているのだ。

ロシアが占領地でやっていることを見よ。彼らは住民全員を調べあげて「反ロシア的」かどうかを選別し、ある者は殺害しある者はシベリア送りにし、またロシアの軍服を着せてウクライナ同胞との戦闘に駆りだしている。多くの子供たちをロシアに連れ去り「ウクライナを憎むロシアの若者」に育てようとしている。

だからこそウクライナの人々は、愛するわが子のため家族のため、彼らの未来のために、侵略軍を叩きだすことをめざして命を賭して闘っているのだ。

＜プーチンの戦争＞を粉砕するために闘おう

五月以降ロシア軍は、欧米諸国によるウクライナ支援の停滞につけこんで、東部ドネツク州や新たにハルキウ州にたいしてロシア領内からの滑空爆弾の投下と越境攻撃を強行し、また多くの難民を生みだすことをも狙ってウクライナの発電施設の八割を破壊した。これにたいしてウクライナ軍は、十分な防空システムがないにもかかわらず、またロシア軍の八分の一の砲弾しか持っていなかったにもかかわらず、ウクライナ人民が作った自前のドローンを主な武器にして、この侵略軍の攻撃を食い止めた。

だが、ウクライナのレジスタンスはいま新たな困難に直面している。

大統領選の真っ只中にあるアメリカ帝国主義では、かのTV討論におけるバイデンの失態によって、「トランプの方がまだまし」という空気が一気に広がっている。このトランプは、大統領に返り咲いたら、「ウクライナはNATOに加盟しないことを約束したうえで、クリミアと東部国境地帯のどこまでをロシアに割譲するかを、プーチンと交渉する」などというかたちで戦争を終わらせることを策している。そしてこれと符節を合わせるかのように、プーチンは、「ウクライナ軍はロシアが併合した四州から完全に撤退すること、NATOに加盟しないこと。これが交渉の条件だ」とうそぶいている。

こうしたなかで、七月一日からEUの議長を務めることとなったハンガリーのオルバンが議長就任の翌日には早くもキーウを訪問し、ゼレンスキー政府に「一時的な停戦と平和交渉の開始」を迫っている。

そして七月五日には、「和平への第一歩を踏みだす重要な役割を果たす」と称してモスクワでプーチンと会談した。

オルバンは、親プーチンかつ親・習近平であるだけでなく、「トランプの復活を望む」ことを公言している。たとえその議長の任期は今年一杯だとしても、このオルバンのふるまいは、一方的な侵略者たるプーチンを免罪し、ロシアに完全に有利なかたちでの「ウクライナ戦争の終結」の流れを加速しかねないのだ。

ロシア皇帝プーチンが、もしもこのようなかたちでウクライナへの軍事侵略の「終結」にこぎつけたとするならば、彼らは「次は何か」を虎視眈々と窺いだすにちがいない。

たとえいかに国内が荒廃しようとも、彼らには、〝前方への逃避〟以外に道は残されていないのであって、彼らは、ウクライナという国を消滅させ民族の歴史や文化そのものを消し去り、民族的アイデンティティーそのものを抹殺していこうとするにちがいない。それだけではない。「ソ連邦の解体は地政学的大惨事であった」というプーチンの言辞を想起せよ。彼らは、この「大惨事」の「失地回復」をめざして、みずからの核戦力をバックに侵略の魔手を旧ソ連の構成国へ・さらには東欧の旧ソ連衛星国へと伸ばすという黒い野望を膨らませていくにちがいないのだ。

欧州の労働者人民は極右の跳梁を許すな

われわれは、「二十一世紀のヒトラー」プーチンの野望を絶対にうち砕かなければならない。

だが、先の欧州議会選挙において極右勢力が大きく議席を伸ばしたことに示されたように、欧州諸国では今、「ウクライナ支援をやめて、国内経済対策を優先せよ」などと主張するフランスの「国民連合」やドイツの「ＡｆＤ」などの極右勢力が跳梁跋扈している。彼らは、ロシアから資金を供与されていることを公言している親ロシアの勢力なのだ。

無念にも、インフレの昂進や難民の急増などの社会的経済的諸矛盾の深刻化のなかで、労働者人民の一定の部分が、この極右勢力を支持してしまった。

だがしかし、欧州の労働者の仲間たちよ！　ウクライナの同胞を見捨てることは、労働者階級としてのみずからの首を絞める行為ではないか！　われわれは今一度、ウクライナの闘う人々の訴えに耳を澄まそうではないか！

六月上旬の欧州議会選挙をまえに、ウクライナの諸労働組合とその他の団体（学生を含む）が会合を開き、「ウクライナの労働者に正義を！」という共同アピールを発した〔これは一参加団体のウェブサイトに掲載されている〕。アピールは、「ウクライナ社会の強靱性は一般の労働者にかかっています。軍の大多数を構成し、兵站、生産、重要インフラの維持管理という国内戦線の機能を保障しているのは労働者です」ということをあらためて確認し、次のように訴えている。

「国際社会が優柔不断に陥っているなかで、これを喜ぶロシア占領軍は攻勢を強めています。われわれの同志たちは、前線で十分な武器供給もないまま戦うことを余儀なくされて死んでいます。充分な防空体制がないなかで、発電所・工場・家屋は潰滅的な攻撃にさらされています。本当に『揺るぎない支援』があったならば、これは避けられないことではなかったでしょう。しかし、いま私たちは、ほとんど自力で侵略者と対峙しなければならなくなっています。」

そして彼らは、ＥＵ諸国の労働者たちに訴えている。「私たちは、共に力をあわせることによってのみ、帝国主義者の侵略、独裁者の圧力、オリガルヒの欲望、極右の煽動から民主主義と社会正義を守ることができると考えます」と。

欧州の労働者たちよ！

労働者は共に資本主義社会の底辺に生きる者として、同胞の犠牲のうえにみずからの利害を追求することはできない。支配階級の国家権力に抗しうる労働者階級の力の源泉は、ただ賃金奴隷としての自覚にもとづく労働者階級の階級的団結にこそある。そして本質的に国境をもたない労働者階級の団結の質は、国家の壁によって隔てられた兄弟にたいする態度の中にこそ示される。

だから労働者は、ウクライナの同胞を見捨ててはならない。「ウクライナへの支援反対」などというスローガンを、決して掲げてはならないのだ。

東欧の労働者たちよ！

ロシアのウクライナ侵略から二年の二〇二四年二月には、東欧諸国の各地で、「ロシアのウクライナ侵略反対」の大きなデモンストレーションがくりひろげられた。オルバン政権下のハンガリーでは、労働者たちは、「一九五六年、二〇二二年、敵は同じだ」というスローガンを掲げてデモをおこなった。

一九五六年にハンガリーの労働者人民は、「非スターリン化」を要求し労・農・兵・学がソビエトを結成して武装蜂起した。しかしこの闘いは、ソ連のスターリン主義官僚政府が送りこんだ戦車によっておし潰され、数万の人民が虐殺された。わが運動の創始者は、このハンガリー労働者の血叫びをわがこととして受けとめ、日本の地で反スターリン主義の革命的共産主義運動を創成した。以来、〈反帝国主義・反スターリン主義〉の旗のもとにわれわれは闘ってきたのである。

かつてクレムリンの暴虐と闘ったハンガリーの労働者よ！　チェコとスロバキアの労働者よ！　ポーランドの労働者よ！

ソ連「社会主義」時代の共産党専制体制において、人民を強権的に支配するその暴力装置の中枢を担っていた部分が、今「シロビキ」としてロシア連邦の新たな支配者に成り上がっている。この歴史上類例を見ない巨悪にまみれた「帝国」のなかに、いまウクライナ同胞が引きずり込まれようとしている。われわれはこの歴史的大犯罪を座視してはならない！

労働者の団結で「人民の平和」を

だが欧州の左翼の一部は、こうしたウクライナの闘う人々にたいして信じがたい罵声を浴びせ、〈プーチンの戦争〉を陰に陽に弁護している。

彼らは言う、「ロシアもウクライナも武器を置き、即時停戦をせよ」「ウクライナには支援すべきレジスタンスなどない」「『ウクライナを守れ』というのは民族主義だ」「悪いのはロシアよりもＮＡＴＯの方だ」と。

もちろん、ひとしくこのような主張を口にしているとはいえ、その内実は様々であろう。ウクライナの人々の苦悩に心を痛めながらも、ＮＡＴＯ傘下の国家の中で活動している以上、戦争を尻押しするようなことは言えない、と考えている者もいるかもしれない。「ウクライナでの戦争はスラヴ人同士の領土争いだ」などと考える者もいるかもしれない。中には、ウクライナの戦う人々を「民族主義者」と罵るだけでなく、『ガザ人民の虐殺弾劾』などというスローガンはナンセンスだ。パレスチナ人などいない」などと、極右同然の言辞を弄する者もいる。

だが、いずれにせよ、こうした主張をする者に共通していることは、次のことである。すなわち――

「侵略しているのは誰であり、侵略されているのは誰か」というこの出発点を故意に曖昧にしていること。侵略者への怒りがまったくなく・虐げられた労働者への共感がまったくないこと。そもそも彼ら自身が政府＝支配階級と同様に自国第一主義に陥っていること。

「ＮＡＴＯとロシアとどちらが悪いか」などという問題のたて方は、苦悶し苦闘するウクライナの労働者人民の現実とはまったく無縁な地平で、「パワー・ポリティクス」を信奉する権力者と同様の政治力学的な発想に陥没したものでしかないのだ。

これにたいして、ウクライナの闘う左翼や欧州において彼らを支援する人たちは、労働者階級の立場に確固として立っている。

たとえば、ＥＮＳＵ（ウクライナ連帯ヨーロッパ・ネットワーク）のＳＮＳによるならば、ウクライナと欧州の諸団体（東欧を含む）は、六月に「帝国の平和ではなく、人民の平和を」と題する宣言を発した。

宣言は言っている――「彼ら〔欧州と北米の政府〕がウクライナを支援しているのは、世界的な帝国主義の競争において自国の利益を主張するためである」「私たちに必要なのは、ウクライナとロシアの国民と労働者の利益にもとづき、またその利益によって支えられた平和です」と。

だからまた、こうも言う――「ウクライナにたいする効果的な軍事支援には新たな軍備増強は必要ない。われわれはNATOの再軍備計画と第三国への武器輸出に反対します」と。

そして、こうした立場にたって、「私たちは、ウクライナにロシア占領軍への大規模な譲歩を迫る『西側』政府、NATO、EUの代表者の試みに反対します」と訴えているのだ。

彼らは、どこまでも全世界の労働者人民と心をひとつにしている。

彼らは、侵略国ロシアの労働者人民にも連帯を呼びかけ、とくに戦争に駆りだされている少数民族に心を痛めつつ連帯を呼びかけている。彼らは一貫してパレスチナ人民との連帯を謳い、戦火の中にあっても「ガザ人民虐殺反対」の署名を集めている。彼らは、第一次大戦後に帝国主義者どもの策謀によって建国の夢を果たせなかったクルドの人民にも、連帯を表明している。

全世界の労働者人民よ！

戦争のただなかで「労働者の正義」を求め、戦火の彼方に「人民の平和」をみつめて闘っている彼らと、心をひとつにし手に手を取り合って進もうではないか。

核戦争勃発の危機をうち破れ

旧ソ連邦の版図の回復をめざした〈プーチンの戦争〉という歴史的暴挙を決定的な転回点として、現代世界は今、軍事的政治的経済的危機を一挙に深め、第三次世界大戦前夜とも言うべき局面に突入している。われわれは熱核戦争の勃発による人類滅亡の危機をうち破らなければならない。

プーチンのロシアはすでにベラルーシへの核弾頭の配備を完了し、核の使用にむけての合同演習を強行している。そして東アジアでは、このロシアという新たな後ろ楯を得た北朝鮮の金正恩が、いまや「南北朝鮮の統一」という戦略をも破棄して、韓国・日本およびアメリカへの核攻撃体制の構築に向かって突進している。

いま世界は、東西の二つに大きく引き裂かれている。没落帝国主義アメリカは、日本を事実上の「属国」として従えつつ、中国とロシアの対米挑戦にうちかつためのアジア版NATOの構築に狂奔している。

これにたいして、「市場社会主義」という看板を掲げたネオスターリン主義・中国は、ウクライナ侵略戦争で泥沼にはまったロシアを支えつつ、この戦乱を利用して「米国主導の国際秩序」を突き崩し、「新たな国際秩序」を形成することに血道をあげている。この中国とロシアは、上海協力機構を「新たな国際秩序」なるものの中核として固めながら、BRICSの拡大を図ろうとしている。そしてこれをバックに、中国の習近平指導部は台湾の併合と南シナ海の領海化の策動を加速し、またプーチンのロシアは「グローバル・サウス」の権力者を引きこむことでウクライナ侵略戦争の行き詰まりを打開せんとしているのだ。

まさにこうした〈米欧日 対 中露〉の激しい角逐のゆえに、第三次世界大戦の危機は日に日に高まっているのである。

われわれ日本の労働者・学生と革命的左翼は、いま〈プーチンの戦争〉に反対する闘いと〈ネタニヤフの戦争〉に反対する闘いを、固く結合して闘っている。

わが戦闘的労働者たちは、日本共産党などが「ロシアのウクライナ侵略反対」にまったくとりくもうとしないなかで、この現状を突破し労働戦線から闘いを大きくつくりだすために日々奮闘している。わが全学連の学生たちは、在日ウクライナ人の集会に参加して「ウクライナ侵略反対」と発言しただけで退学処分にされるといった大学当局のファッショ化に抗して（愛知大学の場合）断固として闘っている。約二年におよぶこの闘いは、日本の学生・労働者・市民の中に大きな共感を生みだし、いま日本でも、若者たちが「戦争反対、虐殺反対、大学授業料値上げ反対、大学の軍事協力反対」の声をあげて起ちあがりはじめている。

われわれはまた、東アジアにおける米・日・韓と中・露・朝との激突という一触即発の軍事的危機をうち砕くために、断固として闘っている。

金権にまみれたブルジョア政党＝自民党の政府危機のなかで、日本共産党は、あわよくば政権の一角にありつくことを狙って「日米安保条約反対」の旗を完全に投げ捨ててしまっている。このブルジョア秩序党へと変質しさった共産党をはじめとする既成指導部の底知れぬ腐敗を弾劾しつつ、われわれは、「沖縄を最前線とする先制攻撃体制の構築阻止」「日米安保同盟のグローバル同盟化反対」「大軍拡阻止、憲法大改悪反対」などのスローガンのもとに闘っている。

世界がいまかつてない大軍拡競争の時代に突入しているなかで、われわれは核戦力の強化に血道をあげる権力者どもを弾劾し、忍び寄る第三次世界大戦勃発の危機を全世界の労働者階級の団結した力でうち砕くのでなければならない。

全世界の労働者・学生諸君！　万国の労働者は今こそ団結し、戦争も抑圧も貧困も搾取も収奪もない新たな未来をめざして、共に闘い共に前進しよう！

〔**追記**〕　七月八日午前、ロシア軍はウクライナの五都市を攻撃し、首都キーウでは七二〇床をもつ最重要小児病院「オフマディト小児病院」にミサイルを撃ちこんで破壊した。この攻撃により夥しい死者・負傷者が生みだされた。狂気の殺戮者プーチンを弾劾せよ！

ウクライナの労組活動家の共同アピール

ウクライナの労働者に正義を！

六月六日～九日の欧州議会選挙をひかえて、ウクライナの労働組合その他諸団体の代表たちが労働運動の中心地たるクリヴィー・リフで会合を開き、アピールを発した（五月一日）。ロシア侵略軍と不屈に戦いつづけるウクライナの労働者・人民との連帯を、世界の労働者に、とりわけEU諸国の労働者たちに、熱く訴えている。会合に参加したウクライナの左翼組織〈ソツィアルニィ・ルフ（社会運動）〉は、このアピールをウェブ・サイトに掲載している。その全文訳を以下に紹介する。

欧州議会選挙を前にして、私たちクリヴィー・リフの労組活動家は立候補者たちに訴えます。侵略者との戦いの先頭に立っているのは賃金労働者であることを、政治家たちは思い起こしてください。弾薬が足りないのは労働者であり、議論されるべきは労働者の利益です。私たちウクライナの労働組合員は、この事実を無視することは破滅的結果を招くと考えます。私たちは、ウクライナへの支援を自分たちの利己的目論見を隠ぺいするために利用するという一部の国際的エリートたちに共通して見られる動きにたいしても警告を発してきました。

鉱山労働者独立労組の指導者ユーリー・サモイロフは言いました。「私たちの家族の会話は、いつも、戦争について、現在兵役に就いている人々について、彼らをどう助けるかについてばかりです。動員された人の大多数は普通の労働者なのですから。明らかに、これが組合の最優先事項になっているのです」と。「しかし同時に労働法は停止され、社会支出は削減され、他方でビジネスマンや役人の子供たちは海外で楽しんでいます。これは公平ですか？」と、ユーリーは問うています。

このアピールは、すでにウクライナの様ざまの地域の労働組合、市民活動家、学生活動家のグループに支持されています。彼らはみな、労働者の問題が重視されていないことに共通の不満をもっており、労働者の団結した声が変革の鍵であると確信しています。彼らは、ヨーロッパと世界中のウクライナの友人たちや労働者の仲間たちもまた、このアピールに耳を傾けてくれると考えています。

ダルニィツャ駅の鉄道労働者自由労働組合の指導者であるオレクサンドル・スキバは、戦争がはじまってから労働者の権利が著しく制限されてきたと厳しく指摘しています。これらの変化のほとんどは防衛力を強化するどころか、むしろ弱体化させたと、彼は主張しています。「雇用関係や団体交渉協定の条項を恣意的に停止することを雇用者側に許すことは、労働組合の役割と民主主義の基盤にとって深刻な打撃である」と。オレクサンドルは、闘争における団結と相互支援の力にたいする確信を強調して、外国の同志たちに連帯を求めています。

ヨーロッパと世界の人民の政治的代表者たちに訴える

私たちの運命がしばしばあなた方の決定にかかっていることにかんがみて、私たちウクライナの労働組合員と活動家は、あなた方に直接語りかけ、次のことを強調したいと思います。

国際社会が優柔不断に陥っているなかで、これを喜ぶロシア占領軍は攻勢を強めています。われわれの同志たちは、前線で十分な武器供給もないまま戦うことを余儀なくされて死んでいます。充分な防空体制がないなかで、発電所・工場・家屋は壊滅的な攻撃にさらされています。本当に「揺るぎない支援」があったならば、これは避けられないことではなかったでしょう。しかし、いま、私たちは、ほとんど自力で侵略者と対峙しなければならなくなっています。

ウクライナ社会の強靭性は一般の労働者にかかっています。軍の大多数を構成し、兵站、生産、重要インフラの維持管理という国内戦線の機能を保障しているのは労働者です。同時に、公共財はエリートのためだけに存在し残りの者は義務だけ負わされるという社会的分裂が、ますます顕著になりつつあります。これは、士気をくじき、国の防衛能力と将来を危うくするものです。にもかかわらず、私たちがわずかな賃金しか得られず、時間外労働をし、たえず路頭に放り出される恐怖のもとで生活しつづけているというのに、政府は規制を緩和し、事業主にとって有利な条件をつくりだすことの方にはるかに関心をもっています。

家族や友人の安全と幸福は、私たちにとって絶対的な価値があります。それが私たちの支えです。しかし、賃金労働者がみずからの問題を解決する手段となるべきものを得られなければ、戦争後のウクライナで私たちがまともな生活を送れなくなることは、痛いほど明らかです。恐ろしいことに、私たちは、より良い生活をおそらく外国に求め、昼も夜も働き、貪欲な主人から飢餓線上の賃金をもらうために相互に競いあわなければならないことになります。

また、あなた方の国のエリートたちは、賃金凍結・物価つりあげ・休日剥奪・社会支出削減、これらすべてをウクライナ支援のために必要なものとして正当化すると同時に、ロシアと互恵的な貿易を継続し、資金と技術でロシアの軍事力を支えている。これは周知の事実です。こうした政策は、諸国人民の連帯と信頼にとって極めて危険です。

私たちは、共に力をあわせることによってのみ、帝国主義者の侵略、独裁者の圧力、オリガルヒの欲望、極右の扇動から民主主義と社会正義を守ることができると考えます。

それゆえに、私たちはあなた方に次のことを呼びかけます。

1．第三国への武器輸出を停止し、ウクライナの防衛に今すぐ必要な武器と弾薬の供給を優先すること。われわれの戦争を軍備セールスマンが暴利をむさぼる口実にするようなことは、あってはならない！

2．プーチン政権の制裁逃れを不可能にすること。そのためには、とりわけロシア、ウクライナ、その他のオリガルヒが利用する怪しげな仕組みを終わらせなければならない。あらゆる取引と部品の供給は、ロシアが戦争を継続することを可能にしてしまいます！

3．不当な借金を帳消しにし、あなた方のお金が私たちの国で反社会的実験に使われないようにせよ！　国際的支援は、国民のための医療と教育の回復と拡大、適正な価格の住宅と公共インフラの再建、働きがいのある人間らしい仕事と労働条件の確保に役立てるべきです。

4．ウクライナの労働組合や市民社会組織と連絡を取り合い、それらがあらゆるレベルでの意思決定に加われるように働きかけ、団体交渉と結社の自由の重要性を主張すること。歪んだ政治体制のもとでは、これが普通の人々が自分の権利を主張するほとんど唯一の方法です。

5．投資から得た権益を隠蔽するためにウクライナとの連帯が悪用されていることを明るみに出せ！　ロシアの資産を没収し、オフショア企業を閉鎖し、超富裕層に課税せよ。ウクライナ人の運命を犠牲にするか、それとも国内の最も脆弱な人々を犠牲にするかというような、誤った二者択一を提示してはならない！

以上は、国際労働デーに際して、ユーリー・サモイロフが議長を務めてクリヴバス鉱山地帯で開催された労働組合と学生活動家の会議で採択されました。出席したのは、アルセロール・ミタル・クリヴィー

・リフ独立労組、クリヴィー・リフ鉄鉱石工場労組、メトインベスト・ルドミネ労組、クリヴィー・リフ医療労働者自由労組、クリヴィー・リフ教員・科学者自由労組、学生組合「ダイレクト・アクション」、NGO「クリヴバス・ウィッチーズ」、NGO「スプラヴェドリビスト」、NGO「ソツィアルニィ・ルフ」の代表です。

ロシアのウクライナ侵略から二年　世界各国の闘い（2月24日）

ハンガリー・ブダペスト「1956年　2022年　われわれの敵は同じだ」と書かれたプラカード

フランス・パリ　共和国広場に１万人が結集。横断幕に「労働組合はウクライナのレジスタンスを支持する」「平和、ロシア軍のウクライナからの撤退を」のスローガン

スイス・ベルン「もしロシアが戦いをやめたら、戦争はなくなる」「もしウクライナが戦いをやめたら、ウクライナはなくなる」

〈東西新冷戦〉下の熱核戦争勃発の危機を突き破れ

ロシアのウクライナ侵略開始から二年四ヵ月余のこんにち、世界は今まさに熱核戦争勃発の危機に直面している。

六月初旬から中旬にかけてプーチンのロシアは、ウクライナおよびNATO加盟諸国と国境を接するベラルーシへの核弾頭の前進配備を完了し、ロシア軍戦術核兵器部隊とベラルーシ軍との合同軍事演習を強行した。

ウクライナおよび欧州への戦術核兵器による攻撃準備を開始したプーチン政権にたいして、NATOは、米軍が欧州各国の格納庫に保管していた航空機搭載可能な戦術核兵器を、ただちに戦闘に使用しうる「待機態勢」に突入させる協議を開始した(事務総長ストルテンベルグの言)。

それだけではない。東アジアにおいては、「南北朝鮮の統一」という戦略を破棄した金正恩の北朝鮮が、プーチン・ロシアとの軍事同盟の構築を公然と宣言し、韓国の政治的中枢をも標的とした核攻撃体制の構築に突進している。中東・パレスチナの地では、イスラエル・ネタニヤフ政権の極右シオニストどもがガザへの「核使用」を絶叫しているのだ。

プーチン・ロシアのウクライナ侵略を決定的動因

として一挙に熾烈化する〈東西新冷戦〉、この現代世界の危機のまっただなかにおいて、わが同盟はすべての労働者・学生・人民に呼びかける。欧州、東アジア、中東においてさし迫る熱核戦争勃発の危機を突き破れ！　〈プーチンの戦争〉と〈ネタニヤフの戦争〉を粉砕する国際的反戦闘争の怒濤の前進をかちとろう！

プーチンの核恫喝を許すな！　ウクライナ侵略粉砕！

イタリアで開催されたG7サミット（二〇二四年六月十三～十五日）において、米欧諸国の権力者が大統領ゼレンスキーを招いてウクライナ軍事支援をめぐって協議し「結束」を確認したまさにそのとき、プーチン政権は、「ロシアは核戦争に踏みきることは技術的に可能だ」と叫びたて、ロシア軍戦術核兵器部隊の軍事演習をベラルーシと合同で強行した。同時にプーチンは、核兵器使用の要件を緩和する「核ドクトリンの見直し」を明言するとともに、ICBM（大陸間弾道弾）、SLBM（潜水艦発射弾道弾）、戦略爆撃機からなる「核の三本柱」の核兵器開発・配備を加速することを傲然と宣言した。

ウクライナ軍のクリミア半島およびロシア領内への反撃に追いつめられたプーチンは、いまや米欧の権力者およびゼレンスキー政権にたいして、〝核兵器の使用も辞さない〟という恫喝にうってでているのだ。血迷ったプーチンのウクライナ・欧州人民への核攻撃を断じて許すな！

五月いこうプーチン政権は、ウクライナ軍の防空兵器の欠乏という窮状につけこんで、東部ドネツク州やハルキウ州にたいする滑空爆弾の投下や越境攻撃を強行してきた。だが、侵攻したロシアの侵略軍は一日一二〇〇人を超える膨大な戦死者をうみだし撃退されつつある。

しかも、ウクライナ軍は、自前のドローンや供与された長射程ミサイルによってクリミア半島のセバストポリ対空部隊を壊滅させるなど、ロシアの防空システムに甚大な打撃を与えている。これまでロシア軍の〝航空優勢〟のもとで苦戦を強いられてきたウクライナ軍は今、新たに供与されるF16戦闘機や自国製の無人機によって、ロシア南部およびクリミア半島の軍港、航空基地、武器庫にたいする反撃を遂行しうる戦闘態勢を構築しているのだ。

ウクライナ東部への軍事侵攻を拡大したプーチンの最大の誤算は、ウクライナの労働者・人民が、プーチンの凶暴極まる軍事侵略にたいして、決してくじけることなく侵略軍をウクライナ全土から叩きだすためにたたかいぬいていることにある。多くのウクライナ人民が、軍や領土防衛隊に参加し、また兵站や後方支援のボランティアとして、不屈にたたかいぬいている。とりわけ、その先進的人びとは、労働組合の団結を強めつつ、欧州諸国の労働者・人民に、そしてネタニヤフ政権のジェノサイドに反対するパレスチナ人民に連帯を呼びかけているのである。

全世界の労働者・学生・人民は、ウクライナのたたかう労働者・人民を決して孤立化させてはならない！　ウクライナの労働者・人民の不屈の闘いに追いつめられたプーチンが核攻撃をも辞さずウクライナ侵略戦争を継続・拡大することを断じて許すな！今ほど、全世界の労働者・人民が〈プーチンの戦争反対〉の炎を燃えあがらせるべきときはない。

いま欧州諸国においては、「ウクライナ支援をやめよ、国内経済対策を優先せよ」などと自国第一主義を鼓吹する親ロシア派の極右勢力（フランスの「国民連合」やドイツの「AfD」など）が跳梁跋扈している。そして、十一月の米大統領選挙をまえにして、「アメリカ・ファースト」を呼号するトランプがバイデンから政権の座を奪取することに血道をあげている。

これら極右ナショナリストどもは、「反移民・反難民」のショービニズム・レイシズムを煽りたてている。そして痛苦にも、米欧の労働者・人民の少なからぬ部分がその支持層としてとりこまれてしまっているのだ。

だが、いま発展途上国・新興諸国において夥しい数の難民がうみだされている根拠は、米・欧・日の帝国主義支配階級やネオ・スターリン主義中国およびロシアの権力者による戦争放火や血の弾圧、経済的収奪と搾取の強化、そして環境破壊にあるのだ。こうした戦火や抑圧や困窮、飢餓地獄から逃れることを希求するムスリム・黒人・ヒスパニックなどの人民は、「移民・難民」として次々と米・欧諸国にたどり着いている。この彼らを「犯罪者」と烙印し「治安維持」「職を奪うな」などとキャンペーンし排斥しているのが、米・欧の一部の政治エリートどもであり極右勢力なのだ。こうした輩の台頭を断じて許すな！

これら「ウクライナ支援反対」を叫ぶ欧州の極右勢力に資金援助をおこない、またトランプの再登場を待望しているのが、侵略者プーチンなのだ。

全世界の労働者・人民は、今こそ連帯し〈プーチンの戦争〉を打ち砕く闘いの大前進をかちとろう！

露朝軍事同盟構築――戦争勃発の危機高まる東アジア

東アジアにおいても、熱核戦争勃発の危機が一気に高まっている。

六月十九日にプーチンと北朝鮮の金正恩は、〝有事〟における相互軍事支援を明記した「包括的戦略パートナーシップ条約」を締結した。北朝鮮にすがりつき膨大な砲弾・ミサイルの供給を継続してもらうためにプーチンは、金正恩の要求に応えて露朝軍事同盟の構築を公然と宣言したのである。〔昨秋いこうロシアがウクライナに撃ちこんだ一〇〇〇万発の砲弾のうち実に五〇〇万発は北朝鮮が供与したという。これと引き換えに北朝鮮政府は衛星・核技術を獲得してきた。〕

いまや露朝条約の締結によって核大国ロシアの軍事的・政治的の後ろ盾を獲得した金正恩は、〝もはやアメリカ軍は斬首作戦ができなくなった〟などと欣喜雀躍しているのだ。

この露朝同盟の構築を区切りにして金正恩政権は、対韓・対日そして対米の軍事行動を強行する衝動を高めている。みずからが極貧・飢餓状態に突き落としている北朝鮮人民の反逆を恐れる金正恩は、韓国の「反北」団体による宣伝ビラ撒布や尹錫悦政権の拡声機宣伝放送再開にたいして危機意識を極点にまで募らせている。それゆえ国内支配を引き締めるために、韓・米にたいする憎悪と敵がい心を人民にたいして煽りたてているのである。金正恩は「南北朝鮮統一」という祖父・金日成いらい掲げてきた戦略目標を破棄し、「異民族国家」と烙印した韓国にたいする核攻撃の体制を強化しているのだ。

これにたいして米・韓・日の権力者は、三ヵ国の軍隊を臨戦態勢に突入させている。韓国・釜山港に入港した米原子力空母ルーズベルトを中心にして三ヵ国の陸・海・空軍などが米軍司令部のもとで一体化し対北朝鮮攻撃演習を強行しているのだ。ロシアとの軍事同盟を後ろ盾にした北朝鮮の対韓・対日・対米の軍事行動に対抗するために、米日韓三角軍事同盟の強化に狂奔しているのがバイデン・岸田文雄・尹錫悦である。

この米・日・韓の軍事同盟強化に警戒心を高ぶらせているのが北京ネオ・スターリニスト官僚政府だ。彼らは米欧の制裁にあえぐロシアと北朝鮮の両国を経済的に支え「反米」の結託を強化しながらも、露・朝の軍事同盟構築を黙殺し政治的に距離をとっている。そしてロシアの後ろ盾を得た北朝鮮の軍事的脅威に直面している尹錫悦政権にたいしては、中国が「朝鮮半島の平和と安定に貢献する」とおしだしている〔中・韓の次官級「2＋2」を六月十八日に開催〕。これはまさしく、韓国とアメリカ・日本のあいだにくさびを打ちこみ、もって三角軍事同盟を分断する術策にほかならない。

これと同時に習近平政権は、台湾の頼清徳政権にたいしては「独立勢力への懲罰」と称して中・台の「中間線」を事実上なきものにする空・海の軍事行動を恒常化している。フィリピンから南シナ海アユンギン礁を奪いとるために、中国の海警局船がフィリピン船にたいして「臨検」という名の武装襲撃や放水や体当たりを連日のように強行しているのだ。台湾併呑を企み南シナ海の領有・軍事要塞化に突進する習近平政権は、台・比両国にたいして事実上の戦争――「グレーゾーン戦争」――をしかけているのである。

この習近平政権の策動にたいしてアメリカ・バイデン政権と日本の岸田政権は、米・日・豪・比の多国間軍事同盟を、まさしくアジア太平洋版NATO

というべきそれを、日米軍事同盟を基軸にして構築し対抗している。南シナ海において、中国海警局船にたいしては米・日・比の巡視船共同行動を対抗的に実施するとともに、米・日・比・豪四ヵ国海軍の「パトロール」という名の威嚇的軍事行動を強行しているのだ。習近平の台湾併呑策動にたいしては、沖縄・南西諸島を軍事要塞化し、「第一列島線」を戦場とする対中国の戦争計画にもとづく米日の軍事演習を連続的に強行しているのである。

さらにグアムなど西太平洋の米軍基地・米空母機動部隊を攻撃しうる二〇〇〇発ともいわれる中国の中距離ミサイル網に対抗するためにバイデン政権は、フィリピンに核弾頭搭載可能な中距離ミサイルを演習の一環として搬入・配置した。この配備先を日本列島に拡大する計画も練られているのだ。〔このアメリカの中距離ミサイル配備（フィリピンとデンマーク）に対抗すると称してロシアのプーチン政権は、中距離核ミサイルの製造と新規配備に着手すると公言している。〕

こうしていまや朝・露・中―米・日・韓の、熱核戦争に転化しかねない戦争の危機が東アジアにおいていよいよ高まっているのである。いまこそ日本の、そして世界の労働者階級・人民は、この戦争的危機を突き破る反戦闘争に断固として決起せよ！

＜ネタニヤフの戦争＞を打ち砕け！

イスラエルのネタニヤフ政権は、全世界で巻き起こる「ジェノサイドをやめろ」の囂々《ごうごう》たる弾劾の声を足蹴にして、ガザ人民にたいする凶暴な大殺戮をつづけている。

五月初旬いらい、ラファに追いたてた避難民にたいして地上軍戦車部隊と戦闘機・ミサイルで襲いかかってきたイスラエル軍は、この街を徹底的に破壊しつくし、女性や子供をも標的にして数多の人民を虐殺しつづけている。殺人鬼どもは、食料・水・医薬品などの搬入を遮断して人民を凄まじい飢餓に追いやり、餓死を強制している。ガザ保健省が発表しただけでも三万八〇〇〇人のガザ人民が虐殺された。瓦礫の下に放置されたままの犠牲者は数も知れない。

狂気のシオニスト政権は、パレスチナ独立を求めるガザ人民を〝絶滅〟し、パレスチナ解放闘争の拠点たるガザ地区そのものを地上から抹殺するために、この大殺戮に狂奔しているのだ。これこそは、二十一世紀のホロコーストにほかならない。ネタニヤフ政権によるパレスチナ人民ジェノサイドを断じて許すな！

いまネタニヤフは、「ラファでの地上作戦はもうすぐ終わる」とほざきながら、レバノンのシーア派武装勢力ヒズボラにたいする攻撃をエスカレートしようとしている。六月十一日にイスラエル軍が強行したヒズボラ司令官の爆殺、これにたいする報復としてヒズボラがおこなったロケット弾攻撃を口実にして、いまイスラエル軍はヒズボラが拠点とするレバノン南部地域へのミサイル攻撃を激化させ、地上軍の侵攻をも準備している。国防相ガラントは「レバノンを石器時代に戻す」と吠えたてた。戦争狂のネタニヤフ政権による対レバノン侵略・戦争拡大を阻止せよ！

国内で巻き起こる「人質解放交渉を優先せよ」「ネタニヤフは辞めよ」のデモに追いつめられたネタニヤフはいま、みずからの政権を護持するためにも「ヒズボラとの全面戦争」を煽りたてつつ、なんとか戦争を引き延ばそうとしている。政権倒壊はただちに汚職で刑事訴追されている自身の〝監獄入り〟を意味する。それゆえにこの男は、「イスラエルに最後まで仕事〔ハマス壊滅〕をさせる」と喚く盟友トランプが十一月のアメリカ大統領選挙で勝利することを待望し、それまで戦争をつづけることに狂奔しているのだ。〔このネタニヤフの〝期待〟に応えてトランプと共和党は、民主党を分断しバイデンを窮地に追いつめるために、ネタニヤフを七月二十四日に上下両院合同会議に招待し演説させるというイベントをしつらえたのだ。〕

侵攻開始いらい一貫してイスラエルを支援し、国内外の人民から「ジェノサイドの共犯者」という猛烈な弾劾にさらされてきたアメリカ・バイデン政権は、若者やムスリムや黒人などの民主党支持層の離反に驚き慌て・それをくいとめるためにも、「三段階停戦」案なるものを提示し、ネタニヤフにその受け入れを迫ってきた。中東に残されたアメリカの唯一の拠点としてのイスラエルを守りぬきつつ、アラブ諸国とイスラエルとの「和解」を基礎にして反米のイラン（それを支えるロシアと中国）と対抗する。――このような中東戦略にもとづいて、いわゆる「二国家解決」方式を護持してきたのがバイデン政権であって、この「停戦」案は、こうした戦略にもとづく。だが、トランプの「復活」まで〝持ちこたえる〟ことに生き残りの途をみいだしているだけでなく、何よりも「完全なユダヤ人国家の建設」（＝パレスチナ自治区の抹殺）の戦略を一気に貫徹せんとしているネタニヤフは、このようなバイデンの〝説得〟をあくまでも拒否しているのだ。

もはやネタニヤフ政権を制御する手立てを失っているバイデンは、中東における唯一の拠点たるイスラエル国家を支えるというアメリカ国家としての〝至上目的〟にもとづいて、ネタニヤフ政権にたいする膨大な軍事援助を続行している。このアメリカが供与した一トン爆弾をF35戦闘機からパレスチナ人民に撃ちこんでいるのがイスラエル軍なのだ。またバイデン政権は「ヒズボラとの戦争になれば全面的に支援する」とただちに保証を与え、強襲揚陸艦を東地中海に派遣しているのだ。ジェノサイドの共犯者＝アメリカ帝国主義バイデン政権を弾劾せよ！

いま全世界で労働者・学生・人民が、「ストップ・ジェノサイド」の声をあげてネタニヤフ政権とその共犯者バイデン政権を包囲している。アメリカでは学生たちの「ジェノサイドやめよ」の叫びが全米のキャンパスで轟いている。日本においてはわが全学連が、全国の大学において「イスラエルのパレスチナ人民ジェノサイド反対」「ロシアのウクライナ侵略反対」の闘いを、多くの先進的学生とともにつくりだしている。

だが欧米や〈南〉の諸国では、少なからぬ自称「左翼」がイスラエルの暴虐を弾劾してもロシアのウクライナ侵略に反対しようとはしない。それは彼らが、スターリン主義との対決を放棄し、「旧ソ連のロシアよりは帝国主義のほうが悪い」というテーゼにしがみついているからだ。

わが革命的左翼は全世界の労働者・人民に訴える。この自称「左翼」の腐敗を弾劾しつつ、いまこそ〈プーチンの戦争〉と〈ネタニヤフの戦争〉をもろともに打ち砕く国際的な闘いを断固として創造しようではないか！　そして米・欧・日と露・朝・中の激突のもとで高まる熱核戦争勃発の危機を打ち破るために全力でたたかおう！

（二〇二四年六月三十日）

全国で労学統一行動に起て

大軍拡・改憲阻止！ 日米グローバル同盟粉砕！
〈プーチンの戦争〉粉砕！
イスラエルのガザ人民ジェノサイドを許すな！

すべてのたたかう労働者・学生諸君！ 全学連と反戦青年委員会は六月十六日に首都・東京において労学統一行動を開催する。すべての労働者・学生は、この東京をはじめ全国各地で開催される労学統一行動に総決起せよ！

イスラエルのシオニスト・ネタニヤフ政権はいま、ガザ南部ラファおよび北部にたいして昼夜を問わず空爆を強行し、着の身着のまま逃げまどう人びとを無差別に虐殺している。このシオニスト権力者によるガザ壊滅を狙った人民皆殺し攻撃を断じて許すな！ 全世界で起ちあがる労働者・学生・人民とともに、反戦の巨大なうねりでネタニヤフ政権を包囲せよ！

ウクライナ・ハルキウ州への連日にわたるミサイル攻撃を強行するプーチン政権を満腔の怒りを込めて弾劾せよ！ 今こそ〈プーチンの戦争〉をうち砕

くウクライナ反戦闘争の嵐を巻きおこせ！

アメリカと一体となって対中国・対北朝鮮の先制攻撃をなしうる軍事強国への飛躍を狙った、岸田政権による大軍拡・憲法改悪の一大攻撃を断固としてうち砕け！　沖縄・南西諸島へのミサイル配備・辺野古新基地建設の攻撃をうち砕く反戦反安保の炎を、沖縄から・全国から燃えあがらせようではないか！

全学連のたたかう学生たちは新歓期の四月以降、全国の大学キャンパスにおいて、「イスラエルのガザ人民虐殺反対」、「ロシアのウクライナ侵略反対」、さらには「日本の大軍拡・安保強化反対」を掲げた怒りのデモ・集会を連続的にくりひろげている。キャンパスから闘いのうねりをつくりだしてきたすべてのたたかう学生は、今こそ総力を結集して、職場深部でたたかう労働者とともに、労学統一行動の一大高揚をかちとれ！

いっさいの大衆的な反戦の闘いを放棄する日共中央を弾劾し、反戦反安保・改憲阻止、ウクライナ反戦、ガザ・ジェノサイド反対の闘いの炎を燃えあがらせよ！

米―中・露の角逐が熾烈化する現代世界

いま、台湾周辺・南シナ海において、軍事的強硬策をとる中国とこれに対抗するアメリカ・日本・台湾・フィリピンとの角逐が激化している。

中国の習近平政権は、台湾総統の就任式で民進党・頼清徳が「中華民国と中華人民共和国は互いに隷属しない」と発言したまさにそのタイミングで、「台湾独立・分裂勢力への懲罰」として台湾を包囲する一大軍事演習を強行した（二〇二四年五月二十三・二十四日）。台北・高雄沖など台湾島を包囲する五ヵ所の海空域に加えて金門島・馬祖島などの離島周辺をも演習区域に設定したうえで、「中国軍・海警局の艦艇・航空機で海上を封鎖しつつ、太平洋側から接近する米空母機動部隊を爆撃するとともに台湾諸都市をミサイルで破壊する」という作戦シナリオにもとづいて対米・対台湾の実戦的訓練を強行したのだ。

この演習において中国軍は「封鎖の新モデル」の名のもとに台湾海峡に加えてバシー海峡（フィリピン・ルソン島と台湾との間）にも中国海軍の軍艦をさしむけた。「第一列島線」上に位置し、中国権力者にとっては「米本土を核攻撃できる原子力潜水艦の西太平洋への出口」をなすこの軍事的要衝を「演習」の名で封鎖したのである。そうすることによって、習近平政権は、米軍の来援を阻みながら台湾を制圧しうる軍事態勢を構築しつつあることを、頼政権はもとよりバイデン政権にたいしても誇示したのだ。

6・16労学統一行動に全学連・反戦が首都で決起（東京都港区）

　頼清徳を新総統に選出した台湾民衆への軍事的恫喝としても強行されたこの「演習」という名の中国権力者の一大軍事行動。彼らが「同胞」と呼ぶ台湾人民にたいして砲口を突きつけるこの暴挙に、中共ネオ・スターリニスト官僚どもの反人民性がむきだしとなっているではないか。

　同時に習近平政権は南シナ海においても、南沙諸島を中国の軍事要塞としていっそううち固めることを狙って、フィリピン軍が駐留するアユンギン礁の周辺でフィリピンの補給船にたいする放水や体当たり攻撃をくりかえしている。

　これらの習近平政権の強硬策に対抗して、アメリカ・バイデン政権は、日本からフィリピンにいたる海域において、「台湾有事」を想定した米軍の大規模多国間軍事演習「バリアント・シールド」を、今年は初めて日本国軍約四〇〇〇人を参加させるかたちで展開しようとしている（六月七〜十八日）。

　まさにいま「台湾併呑」の野望をむきだしにするネオ・スターリン主義中国と、これを同盟諸国を束ねてなんとしても阻止せんと対抗する没落軍国主義帝国アメリカとが、相互対抗的に軍事行動を強行し、台湾周辺・南シナ海において一触即発の危機が生みだされているのだ。

これと同時にいま、朝鮮半島をめぐる米・日・韓と北朝鮮・ロシア・中国との応酬が激化している。北朝鮮・金正恩政権は、五月二十七日に二機目の軍事偵察衛星を搭載したロケットの発射に踏みきった（失敗）。このロケットにはロシアの技術支援にもとづく新たな燃料や推進機構が用いられた。ウクライナ侵略のための砲弾・弾薬欲しさに北朝鮮にすがりついたプーチン政権、このプーチン・ロシアの全面的な技術支援を支えにした金正恩政権が核ミサイル技術の高度化に邁進していることを、右のことはまざまざと示したのだ。

この北朝鮮にたいして、バイデン政権と韓国の尹錫悦政権とは、米韓両軍の偵察機を北朝鮮上空に頻繁に送りこんだり、海上の「境界線」に韓国軍艦船を展開したりするなどして、軍事的な威嚇でこたえている。「落下物の迎撃」を名分として、日本の岸田政権とも連携して米日韓三ヵ国の対北朝鮮準臨戦態勢をいっそう強化しているのだ。

こうして、台湾周辺で、南シナ海で、さらに朝鮮半島で同時多発的に高まっている戦争勃発の危機。それはまさしく、プーチン・ロシアによるウクライナ軍事侵略開始を震源として一挙に熾烈化した〈米―中・露対決〉のもとで切迫している軍事的な危機にほかならない。

ロシアと結託するネオ・スターリン主義中国の習近平政権による、「二十一世紀半ばまでにアメリカをしのぐ社会主義現代化強国として屹立する」という世界戦略にもとづく、台湾併呑の策動のエスカレート。この中国およびロシアの「力による現状変更」（アメリカ権力者の言葉）をおしとどめるために、「専制主義にたいする民主主義の戦い」を旗印に同盟国を糾合せんとする、老衰した軍国主義帝国アメリカ・バイデン政権の対抗。この没落の帝国主義権力者と、あい結託するネオ・スターリン主義権力者および「スターリンの末裔」との激突のもとで、ここ東アジアを舞台とした戦乱勃発の危機は急速に高まっているのだ。

バイデン政権は、対中国の多国間軍事同盟を構築・強化するために、米軍主導の多国間軍事行動に同盟諸国軍を動員したり、半導体の供給網構築や人工知能などの先端技術開発、兵器の共同開発・生産などに同盟諸国を巻きこんだりすることに躍起になっている。だがそれは一国で中国を抑えこむ力を喪失して久しい没落軍国主義帝国のあがきにほかならない。

これにたいして、中国の習近平政権は、軍事的には、空母三隻体制の構築（これにより、実戦配備・訓練・保守点検のローテーションで恒常的に空母を運用できるようになる）をはじめとした対米対抗の核軍事力の増強と軍指揮系統の再編に血眼となっている。

他方政治的には、中国権力者は、いわゆる「もしトラ」（もしトランプが次期アメリカ大統領になったら）に欧・日・韓などの権力者が脅えているいまこのときに、アメリカとその同盟諸国とを離間することを狙った外交的攻勢に一挙にうってでてもいる。

それを示したのが五月二十七日に開催された中・日・韓首脳会談であった。この場において中国首相・李強は、岸田文雄および尹錫悦とのあいだで「FTA締結協議の再開」などで合意し、日韓との政治的・経済的な協力関係の強化をうたいあげた。それは――習近平が約五年ぶりに訪欧しフランス大統領マクロンとのあいだで「AI開発の共同宣言」などをうちだした中仏首脳会談（五月六・七日）とともに――軍事・「経済安保」の両面で対中包囲網を築こうとしているアメリカとその同盟国とのあいだにくさびを打ちこむことを狙った術策にほかならない。

こうして同盟国のアメリカからの離間をはかりつつ、同時に旧東欧や中央アジアの諸国権力者をば、陸路による交易の強化をテコにしてユーラシアに位置する諸国との広域での経済的な連携（「一帯一路」経済圏）構築・強化に抱きこもうと躍起になっているのが習近平政権なのだ。〔もちろん習近平が、米主導のNATO軍による在ユーゴ中国大使館空爆（一九九九年）からちょうど二十五年の五月七日にセルビアを訪問したのは、そのセルビアが「一帯一路」の要衝であるからだけではない。「一超」アメリカの横暴を眼前にしながらも中国が味わわされた当時のかの屈辱をそそぎ、必ずアメリカをしのぐ「超大国」となって逆襲するという習の復讐心の表明にほかならない。」

このような米―中の熾烈化する軍事的・政治的および経済的の全部面での激突のもとで、台湾・南シナ海および朝鮮半島において戦乱勃発の危機がいや増しに高まっているのだ。

ガザ人民ジェノサイドに狂奔するネタニヤフ政権

イスラエルのネタニヤフ政権は、全世界で高まる「ジェノサイド反対」の声を無視して「ラファでの兵力を増強し軍事作戦を拡大する」と傲然とほざき、ラファの人口密集地に空と地上から猛攻をしかけ、数多の人民を血の海に沈めている。イスラエル軍は、ラファとエジプトの境界を完全に封鎖し、支援物資の搬入も避難も不可能にしたうえで、ガザ人民を皆殺しにせんと襲いかかっているのだ。このナチス・ヒトラーのごとき蛮行を怒りをこめて弾劾せよ!

シオニスト権力による八ヵ月にもわたる軍事作戦によって、すでに三万六千人ものガザ人民が虐殺され、ラファに身を寄せていた一〇〇万もの人民が水も食料も医薬品もないなかで、イスラエル軍に蹂躙された中部・北部への再避難を余儀なくされている。この人々にたいしても虐殺者どもは容赦なく砲弾・ミサイルを撃ちこんでいるのだ。

いまネタニヤフ政権は、国際刑事裁判所(ICC)から戦争犯罪容疑で逮捕状を突きつけられ、国際的孤立に叩きこまれている。

さらにイスラエル国内においては、ネタニヤフは、軍事作戦の長期化のなかで、労働者・人民の「ネタニヤフ退陣」のデモに直撃されている。戦時内閣の閣僚の中からさえも「総選挙」の要求が巻きおこっている。こうしたなかで殺人鬼ネタニヤフは、自身の「詐欺容疑」での監獄行きを回避するために、連立を組む極右シオニスト政党にしがみついて政権延命をはかり、ガザ人民ジェノサイドにますます狂奔しているのだ。

このネタニヤフ政権を、二〇〇〇ポンド爆弾などの殺戮兵器の大量供与をつうじて支えているのがアメリカ帝国主義のバイデン政権にほかならない。大統領選でのユダヤ・ロビーからの献金を喉から手がでるほど欲しているがゆえに、バイデンは、「イスラエルがラファに侵攻すれば武器・砲弾の提供を停止する」と述べたその舌の根も乾かぬうちに、ラファの難民キャンプにミサイルを撃ちこんでいる殺人鬼への一〇億ドル規模の武器売却をはじめたのである。

このバイデン政権に支えられたイスラエル・シオニスト権力の蛮行をまえにして、いま「虐殺やめろ」のデモの波が中東・東南アジア諸国、さらにはアメリカ・欧州諸国などの全世界に広がっているのである。

ハルキウ攻撃を強めるプーチンのロシア

プーチン政権はいま、ウクライナ北東部のハルキウ州に、ロシア領内にかき集めた新たな侵略軍部隊を突入させ国境付近の村々を蹂躙している。さらにハルキウ州や東部ドネツク州の工場や商業施設などの人口密集地域にたいして、ロシア領空から「滑空爆弾」(数十発で小型核兵器なみの破壊力をもっとされる)を撃ちこみ、数多のウクライナ人民を殺戮している。
ウクライナ軍の防空兵器の欠乏という隙をついたこの卑劣な攻撃にたいして、ウクライナ政府・軍は、米欧諸国から新たに供与された兵器で武装しつつ、ウクライナ領爆撃に用いられているロシア南部の軍事拠点を直接攻撃しうる戦闘態勢を急ピッチで構築している。〔このウクライナ政府にたいして、アメリカのバイデン政権は、供与した兵器によるロシア領内への攻撃を一部承認する措置に踏みだした。〕
このウクライナ軍を、米製兵器の到着をまえにして少しでも国境地帯から遠ざけるために、「緩衝地帯」の確保を狙った攻勢をしかけているのがプーチン政権なのだ。
プーチン政権は、同時に、同盟国ベラルーシのルカシェンコ政権をも参加させて、戦術核兵器の発射訓練を強行した。ウクライナに軍事支援をおこなっている欧州諸国の権力者どもにたいして、〝ウクライナの戦場で核兵器を使用することも辞さない〟と威嚇しているのがプーチンなのだ。

米欧の経済制裁下でウクライナ侵略を継続しているがゆえの経済的な苦境にあえいでいるプーチン政権は、中国の習近平ネオ・スターリニスト政権にますますすがりついている。ロシアの閣僚や実業家などをひきつれてプーチンが訪中し、習近平にたいして軍事転用可能な半導体を含む製品や火薬原料などの輸入を継続するよう哀願したことがそれである（五月十六日、中露首脳会談）。

同時に、国内的には「経済の専門家」といわれ軍歴のないベロウソフをショイグに代えて国防相に据えた新内閣の陣容にも示されるように、ソ連時代を彷彿とするような軍需産業の再編・強化を中心とした「戦時経済」というべき総動員体制を構築しようと血眼となっているのが、プーチンを大統領として担いでいるFSB権力者どもにほかならない。だがそれは、「亡国の道」いがいのなにものでもありえない。

これにたいしてウクライナの労働者・人民は、プーチンの差し向けた侵略軍の蛮行にたいする怒りをますます燃えたぎらせ、ある者は軍や領土防衛隊に加わって幾たびも最前線におもむき、またある者は兵站やボランティアに志願し、不屈にたたかいぬいている。その先進的部分は、労働組合の団結を強めつつ、欧州諸国の労働者・人民に連帯をよびかけながらたたかっているのである。

大軍拡と改憲に突進する岸田反動政権

激動する〈米—中・露対決〉下の現代世界において、バイデンのアメリカとの「グローバル・パートナーシップ」構築の誓いにもとづいて対中国の先制攻撃体制の構築に狂奔しているのが、安保の鎖に縛られた「属国」日本の岸田政権である。

この岸田政権・自民党はいま、「政治資金疑獄」

にたいする労働者・人民の怒りに包まれて火だるまとなっている。空前の物価高のもとで、生活必需品価格の高騰、実質賃金の大幅切り下げにあえいでいる労働者・勤労人民は、みずからは〝ヤミ献金〟にまみれながら人民に貧窮を強制する政府・自民党への憤激を爆発させているのだ（四月の衆院三補選につづいて、五月二十六日の静岡県知事選でも自民党が支援する候補が惨敗。政権支持率も最低を更新）。

窮地に陥った首相・岸田は、「パーティー券購入者の公開基準額一〇万円超」をもりこんだ自民党案（与党・公明党からすら支持を得られず「自民単独提出」となっていたそれ）を修正し、「公開基準額五万円超」という公明党の案および「政策活動費支出の領収書の十年後の公開」という日本維新の会案の受け入れにふみきった（五月三十一日）。自身の政権の危機をのりきるとともに改憲への布陣を構築するために、維新を連立に加えるたくらみをものぞかせたこの岸田の「修正案」に、「第二自民党」を公言する維新・馬場伸幸は嬉々として賛成した。

この自民党「修正案」なるものは、「政策活動費」の支出については企業・団体献金についても居直り、今後もこれを手放さないことを宣言したものにほかならない。それは、労働者・勤労人民の怒りの火にますます油を注いでいるのだ。

独占資本家どもからの巨額の献金にまみれてきた自民党政治エリートどもの腐敗こそは、アンダーグラウンドに隠されてきた、自民党を中核とする日本型ネオ・ファシズム支配体制、なかんずく安倍いらいのＮＳＣ（国家安全保障会議）専制体制の悪が社会的に露出したものにほかならない。日本帝国主義の政治経済構造たる国家独占資本主義においては、政・官・財の構造的癒着がビルトインされている。このゆえに、独占ブルジョア階級の政治委員会の担い手たる自民党の政治エリートどもは労働者・人民の怒りの火に脅えながらも、〝ヤミ献金〟をはじめとしたいっさいの献金や政治工作のための巨額の活動費を決して手放そうとはしないのだ。

貧苦を強制されてきた労働者・人民は今こそ、反人民性をむきだしにした岸田政権のブルジョア階級性に目覚めよ！　労働者階級の階級的団結をうちかために、この極悪岸田政権を打ち倒すべく総決起せよ！　維新と結託した岸田自民党の改憲策動を木っ端微塵に粉砕せよ！

断崖絶壁の危機に立たされた岸田政権は、日米首脳会談（四月十日）におけるバイデンとの「公約」を果たすことを、おのれの政権の唯一の〝成果〟としておしだすことに血眼となっている。

この政権は、七月開催予定の「２＋２」（日米安保協議委員会）において、「統合全領域指揮統制（ＪＡＤＣ２）」の名のもとに陸海空・宇宙・サイバー・電磁波などのあらゆる領域において指揮命令系統を一元化する米軍、この米軍統合司令部のもとに自衛隊の「統合作戦司令部」を完全に組みいれること、その具体策をバイデン政権と決定しようとしている。まさにそれは、日本国軍を米軍に一体化させ・米軍の指令ひとつで中国・北朝鮮にたいして真っ先に先制攻撃をしかける軍事体制を構築する策動であって、日米軍事同盟を対中国の文字通りの攻守同盟として強化する一大攻撃にほかならない。

日米共同の先制攻撃体制を一挙的に構築・強化するために、岸田政権は、「沖縄を戦場にするな！」と声をあげる沖縄の労働者・人民の反対闘争をふみにじって強権的に沖縄・南西諸島へのミサイル配備と辺野古新基地建設をおしすすめている。

それだけではない。岸田政権は米軍主導の大規模実動演習「バリアント・シールド」に日本国軍を初めて参加させようとしている。この演習にさいして、北海道大演習場・八戸海上自衛隊航空基地（青森県）・松島航空自衛隊基地（宮城県）・奄美大島（鹿児島県）など実に九都道県の施設を米軍に提供しようとしているのが岸田政権なのだ。まさにそれは、日本列島全域を日米両軍の軍事要塞と化すものではないか。岸田政権が全国の自治体当局への「指示権」という絶大な権限を政府に与える改定地方自治法の制定に狂奔している（五月三十日、衆院可決）のも、全国の民間空港・港湾を軍事利用し、労働者・人民を戦争に動員する体制を強化するためにほかならない。

アメリカに莫大なカネ（兵器購入費）をさしだし、日本国軍もすすんで米軍の指揮統制下に組みいれ、日本の空港・港湾をもさしだそうとしている岸田政権。この政権がすすもうとしているのは、没落軍国主義帝国アメリカとの「心中の道」いがいのなにものでもないのだ。

岸田政権は日本を名実ともに〈アメリカとともに戦争する国〉へとおしあげるために憲法の明文改定に向けて突進している。自民党タカ派議員どもは、与党・公明党および日本維新の会・国民民主党と示し合わせて「改憲原案の作成のための起草委員会の設置」を声高に叫びはじめている（五月二十三日、衆院憲法審査会）。自民党の別働隊・維新の会と国民民主党という改憲翼賛勢力との連携をいっそう強めつつ、「緊急時の国会議員の任期延長」規定を手始めに改憲条文案の策定にこぎつけることに血眼となっているのが岸田政権なのだ。

「反安保」を放棄した日共中央をのりこえ闘おう！

すべての労働者・学生諸君！　全国五ヵ所（首都、北海道、東海、関西、沖縄）における六月労学統一行動の大爆発をかちとれ！

岸田政権による先制攻撃体制の構築や沖縄・南西諸島へのミサイル配備、辺野古新基地建設など、日本をアメリカとともに戦争する国に飛躍させることを狙ったいっさいの攻撃をうち砕くために、今こそ不退転の決意に燃えて、反戦反安保・改憲阻止の闘いの怒濤の前進を切りひらけ！　首相・岸田が居座る首相官邸および国会に怒りのデモンストレーションで進撃せよ！「〈プーチンの戦争〉粉砕！」の怒りの巨弾をロシア大使館に叩きこめ！　イスラエルのシオニスト権力者によるガザ人民皆殺し攻撃弾劾！　全国から反戦の闘いの火柱を断固として燃えあがらせようではないか！

（1）われわれは、岸田政権がふりおろす先制攻撃体制の構築、沖縄の軍事要塞化を狙ったいっさいの攻撃を断固としてうち砕くのでなければならない。

いま日米両権力者じしんが「日米同盟が始まって以来最大のアップグレード」などとほざいてなしと

げようとしていることは、日本国軍が米軍の指令ひとつで中国・北朝鮮への攻撃の先陣をきる体制の構築いがいのなにものでもない。それは、熾烈化する米—中・露の激突のもとで、老いぼれた没落軍国主義帝国アメリカとのあいだで日米軍事同盟を文字通りの対中国攻守同盟たらしめようとする岸田政権の画歴史的な攻撃なのだ。

　にもかかわらず日共官僚どもは、「緊急の課題について要求の一致点で共同を広げる」という名において、大軍拡反対や辺野古新基地建設反対の方針から、日米軍事同盟の画歴史的な強化に反対することを抜きさっている。日米軍事同盟が戦争同盟として強化されようとしているこのときに、これほど無力にして犯罪的なことがあろうか。岸田政権による大軍拡と沖縄・南西諸島へのミサイル配備、辺野古新基地建設の攻撃をうち砕くためには、〈米—中・露激突〉下における日米軍事同盟の新たな・飛躍的な強化に反対するのでなければならないのだ。

　今こそ、「反安保」を完全放棄した日共中央翼下の反対運動をのりこえ、〈日米の対中国グローバル同盟粉砕〉の旗幟を鮮明にして、大軍拡と憲法改悪、沖縄の軍事要塞化の攻撃を粉砕する闘いの全国的高揚を切りひらけ！

　日米「2＋2」の開催を断じて許すな！　日本国軍へのトマホークの大量配備に反対せよ！「五年間で四三兆円」を大きく超える巨費を投じての大軍拡をうち砕け！　日本全土を舞台とした一大軍事演習反対！　日本全土のミサイル基地化阻止！

　対中国の多国間軍事同盟＝〈アジア太平洋版ＮＡＴＯ〉づくりを許すな！

　〈日米グローバル同盟〉というべき、こんにちの日米軍事同盟の飛躍的強化、その国際法的な根拠が日米安保条約にほかならない。今こそ、〈安保破棄〉めざしてたたかおう！

　同時にわれわれは、日米グローバル同盟の強化をたくらむ日米両権力者が対峙し対抗しているネオ・スターリン主義中国、この中国権力者による台湾・南シナ海における反人民的な軍事行動の強行にたいしても断固反対しようではないか。ロシアからの技術援助に支えられた北朝鮮・金正恩政権による核ミサイル開発への突進を許すな！　米・韓・日の対北朝鮮の威嚇的軍事行動反対！

〈米—中・露激突〉下における東アジアでの戦争勃発の危機を突き破れ！

（2）ロシアのウクライナ侵略粉砕！　プーチン政権が強行しているハルキウ州への「滑空爆弾」攻撃を弾劾せよ！

全世界の労働者・人民は、ウクライナ反戦の嵐を巻きおこし侵略者プーチンを包囲せよ！　日本でたたかう労働者・学生は全世界労働者・人民の最先頭で、「〈プーチンの戦争〉粉砕！」の怒りの闘争を燃えあがらせようではないか！

ロシアによるウクライナ侵略戦争こそは、かのスターリン主義ソ連邦の崩壊後に国有財産を簒奪して支配者にのしあがったプーチンおよびこのプーチンをかつぎあげたFSB官僚どもが、「大国ソ連」の版図復活の野望をたぎらせてしかけている世紀の蛮行いがいのなにものでもない。ウクライナをロシアにのみこむためにウクライナという国家も民族も抹殺せんとする世紀の暴虐を断じて許すな！

五期目に入った暗愚のプーチン政権は、ウクライナ侵略戦争を続行するために喘ぎあえぎしながら、いまやソ連時代さながらの戦時経済体制に突入し、この後戻りのできない道にロシアの勤労人民を道連れにしようとしている。われわれは、日本の地においてウクライナ反戦闘争をたたかうとともに、圧制と貧困のもとに組みしかれたロシアの労働者・人民にたいして、「今こそ、〈ウクライナ侵略戦争反対—FSB強権型支配体制打倒〉に向けて総反攻に起て！」と断固としてよびかけようではないか。

（3）シオニスト・ネタニヤフ政権によるガザ人民ジェノサイド反対！　ラファ総攻撃反対！　パレスチナ解放闘争の抹殺を狙うシオニスト権力者によるガザ人民皆殺し戦争を断じて許すな！

ガザ全域を廃墟にしうるほどの莫大なミサイルをイスラエルに供与しつづけているのがアメリカのバイデン政権だ。ガザ・ジェノサイドに全面加担するバイデン政権を弾劾せよ！　全米で巻きおこる学生・労働者の反戦デモの嵐に揺さぶられているバイデン政権は、「いま起きていることはジェノサイドではない」などとヌケヌケとほざき、シオニスト権力者の擁護者たるの本性をむきだしにしている。全米でキャンパスを占拠してたたかうアメリカの学生たちにたいする政府・警察・大学当局が一体となった弾圧を弾劾しよう！

中洋アラブ地域・東アジア地域で起ちあがるムスリム人民にたいして、〈イスラミック・インターナショナリズム〉にもとづく反米・反シオニズムの闘いを燃えあがらせることを断固としてよびかけようではないか。

（4）全学連のたたかう学生はいま、「イスラエルのガザ・ジェノサイド弾劾」、「ロシアのウクライナ侵略反対」、「岸田政権の大軍拡・沖縄の軍事要塞化反対」の大衆的なデモ・集会を、連日にわたって全国のキャンパスにおいてたたかいぬいている。日共＝民青系の学生運動がもはや完全に消滅しさっているなかで、キャンパスから良心的学生を組織しつつ反戦のうねりを唯一創造しているのが、全学連のたたかう学生たちなのだ。

キャンパスにおいて獅子奮迅の闘いをくりひろげてきたすべてのたたかう学生は、今こそ総力を結集し、職場深部でたたかう労働者とともに労学統一行動の一大高揚を切りひらけ！

米欧の大学キャンパスにおいて、「ガザ民衆虐殺反対」の怒りに燃える学生たちが起ちあがっている。アメリカの学生たちの怒りの矛先はネタニヤフ政権やこれを支えるバイデン政権ばかりでなく、イスラエルの軍需産業と結びつく企業に大学の基金を投資したり、米軍の殺戮兵器の開発・研究をおこなったりしているみずからの所属大学当局にも向けられている。

まさにこうしたアメリカの大学をモデルとして、ＡＩ兵器をはじめとする最先端軍事技術開発の拠点への大学の再編、およびそのための国・公・私立大の学費大幅値上げの攻撃をふりおろしているのが岸田政権・文部科学省なのだ。見よ！「国公立大学の適正な授業料の設定」（＝学費値上げ）を自民党が提言したことにこたえて、文科相・盛山正仁が「提言を政府の骨太方針に盛りこむ」などと言明しているではないか（五月二十八日）。すでに文科相の諮問機関たる中央教育審議会では、「国公立大学の学費を一五〇万円（現行の約三倍！）にせよ」（慶應義塾長・伊藤公平）などという声が飛びかっている。学生から超高学費をむしりとり（ちなみに米コロンビア大学の学費は日本円にして最大で九八〇万円）、それをも原資に軍事研究にいそしむアメリカの大学をば〝明日の日本の大学像〟とみなし、〈軍国ニッポン〉を支える軍事研究の府へと大学を再編しようとしているのが岸田政権であり、それに追随している反動大学当局者なのである。

この政権がいま、大学への国家的統制の強化や、「セキュリティ・クリアランス」の名による学者・研究者への思想調査・弾圧、さらには「反戦」を訴える学生自治会の役員や教職員にたいするキャンパスからのパージ攻撃を強めているのも、そのゆえなのだ。

全学連のたたかう学生は、「大軍拡反対」「ガザ・ジェノサイド反対」「ウクライナ侵略粉砕」などの反戦闘争の巨大な爆発をかちとるとともに、これと結びつけて国公私立大学の空前の学費値上げに反対する闘い、さらには〝大学のファシズム化〟を狙ういっさいの策動に反対する闘いをダイナミックに創造するのでなければならない。大学での軍事研究や学費を原資とした軍需産業への投資にも反対してたたかおう！　反戦をたたかう学生自治会およびサークルへの弾圧を許すな！

全国のたたかう学生は、大学キャンパスから労学統一行動への一大結集をかちとれ！　職場深部から反戦闘争や政治経済闘争を創造している反戦青年委員会のたたかう労働者は、全学連の学生とともに、反戦反安保・改憲阻止、ウクライナ反戦、ガザ・ジェノサイド弾劾の巨大な火柱を全国から燃えあがらせよ！

すべての労働者・学生諸君！　今こそ、闘いの時だ！　反戦反安保・改憲阻止、ウクライナ反戦、ガザ・ジェノサイド反対をはじめとするあらゆる闘争をひとつにあわせ、ガタガタとなりながら労働者・人民に戦争・貧困・圧制を強制する岸田反動政権を打倒せよ！　6・16労学統一行動に総決起せよ！

中露首脳会談——ウクライナ侵略者と加担者との血塗られた握手

竹下　徹

ウクライナ問題を公式議題から外した中・露

二〇二四年五月十六日に北京において中露首脳会談が開催された。プーチン政権と習近平政権は、午前・午後の二度の公式首脳会談をもった後に「新時代の全面戦略協力パートナー関係」を謳う共同声明を発表した。そこでは「世界多極化と国際関係の民主化」というアメリカ「一超」支配時代いらい十数年にわたって掲げてきた国際政治上の目標や、台湾問題についての中国の立場をロシアが全面的に支持することの宣言、そして経済協力の合意とかが、例年の共同声明とほぼ同じ文言で羅列された。

だがウクライナ問題については、去年のそれよりはるかに短く「ロシアはウクライナ問題についての中国の客観的かつ公正な立場を評価する」という数行が書かれたにすぎない。去年はあった「軍事ブロック反対」も平和的解決にむけた「ロシアの尽力」への「中国の評価」も無い。

　そもそも、ウクライナ問題は二度の公式首脳会談の主要議題からは外された。習近平とプーチンが「ウクライナ危機問題について踏み込んだ意見交換をおこなった」のは、中国国営・新華社によるならば、共同声明が発表された後の非公式の懇談の場であったという。おそらく中国政府がロシア政府にそれを呑ませたにちがいない。まさしくそれは、首脳会談にかけた両権力者の問題意識・関心事のズレが存在することのゆえなのだ。

握手するプーチンと習近平（５月16日、北京）

　プーチン政権が習近平政権に求めたのは、なによりもウクライナ侵略戦争を継続するのに必要不可欠な中国の「軍民両用」物資の供給継続であり、G7・EUの経済制裁下にあるロシア経済を支えるのに必要な中国との貿易・金融取引の継続であった。これにたいして習近平政権は、ウクライナ侵略を継続するためにロシアが求める工作機械や半導体や爆薬の材料となる化学物質などの輸出についてはあくまで〝非軍事の民生用品の貿易〟と称して正当化し継続することを約束した。だが、ロシアのウクライナ侵略そのものを支持・評価するような言辞は慎重に避けたのである。まさしく侵略加担者としての正体をおしかくしながら、侵略者プーチンとの血ぬられた握手をおこなったのが習近平であった。
　この会談の直前にアメリカ・バイデン政権が、〝ロシアの兵器に使われている半導体の九〇%が中国製、中国が軍事支援している〟というキャンペーンを張った。このアメリカの非難をかわすことが、そして中露会談に先だって独・仏両権力者と合意した〝経済関係の維持〟をなんとしても継続することが、プーチンとの会談に臨んだ習近平の関心事であったのだ。

このネオ・スターリニスト官僚は、ロシア産石油を国際市場価格よりも安価に輸入しつづけることとひきかえに「非軍事・民生用」と称した軍事転用可能な物資の対露輸出を維持・拡大することをプーチンに約束した。ただしロシアが熱烈に求めてきたシベリア天然ガス・パイプライン共同建設の提案を、——おそらくは中国の天然ガス値引き要求をロシアが拒んだがゆえに——はねつけたのだ。

アメリカ主導の経済制裁によってプーチン・ロシアが経済的破綻に追いこまれることはなんとしても阻止するが、しかし〝ウクライナ侵略の加担者〟と中国が烙印されることをあくまで避けるという政治的計略をめぐらせ、北京官僚はロシアとの貿易・経済協力の継続・強化を合意したのだ。だがその際にも、政治的・経済的の支援を哀願するロシアの苦境を見透かして冷徹に自国利害を貫徹したのである。

ウクライナ問題についての習近平とプーチンとの「踏み込んだ意見交換」の内容は公表されていない。おそらくプーチンは〝ロシアがウクライナでアメリカ・NATOとの戦争に勝利することは中・露の共通の利益になる〟とおしだして、習近平に経済的・技術的の支援に加えて政治的・軍事的支援も求めたのであろう。これにたいして習近平は、没落帝国主義アメリカとの二十一世紀世界の覇者の座をめぐる激突が熾烈化しているからこそ〝ロシアの加担者〟として制裁対象とされることを回避し、むしろ中国にはロシアを抑制する〝力〟があるかのように西欧権力者にアピールする機会としてこの首脳会談を利用したといえる。〔首脳会談の翌日にプーチンは、ハルビンにおいて「ハリコフ州攻撃の目的はウクライナ軍の越境攻撃を防ぐ緩衝地帯の設置、州都ハリコフ占領の意図はない」と語った。おそらく前夜に習近平から〝攻撃の拡大は認めない〟とクギを刺されての発言であったと推測できる。〕

中国に経済的支援を哀願するロシア

この首脳会談にプーチンは、軍需生産担当副首相から抜擢されたばかりの新国防相、軍需産業担当副首相、科学技術担当大統領補佐官ら十一人の閣僚、中央銀行総裁、二十人の知事、さらに石油・天然ガス・原子力・鉄道・大銀行などの主要企業の社長・CEOらを同行させた。そして政治的・経済的の支援を、とりわけロシアの軍需産業に必要な工作機械や半導体（レガシー半導体）や爆薬原料（ニトロセルロース）などの輸出継続を懇願したのだ。これらの軍事転用できる工業製品を中国から輸入することが、まさしくロシア軍需産業にとっての命綱なのである。

いまやロシア経済は「戦時経済」の様相を呈している。プーチンを表看板とするロシアの権力者どもは、戦車や装甲車や多連装ロケット砲や大砲と砲弾そして航空機と滑空爆弾（大型爆弾に翼と衛星測位誘導装置を付けたもの）などのフル操業での生産を軍需企業に命じている。

旧ソ連時代に製造が開始された戦車や大砲や砲弾などを大量生産し、その物量によって弾薬不足に苦しむウクライナ軍を圧倒すること、そしてロシアの兵士を肉弾として大量に前線に投入して〝死の突撃〟を強制すること、これに活路を求めているのがロシアの権力者どもだ。

こんにち稼働しているロシアの軍需工場は、ほぼすべてがスターリニスト・ソ連邦の時代に国営軍需企業として設立されたものであって、多くが一九八〇年代前半期までに造られた生産設備を細ぼそと稼働させてきた。ウクライナ侵略の本格的開始（二〇二二年春）いこうロシア政府は、国家予算の四割以上を軍事予算に注ぎこみ、生産設備の再建・更新に狂奔した。多くの軍需企業を国有化し、二十四時間稼働を官僚制計画経済さながらに上から指令しているのだ。

こうした国家的テコ入れによってロシアの兵器生産能力はウクライナ侵略前より二〇％程度も増強されたという。いまや軍事予算はGDPの七％超となり、米ソ冷戦時代に匹敵する。欧州諸国・米・日・韓などが工作機械や半導体の対露輸出を全面的に禁止しているもとで、こうした軍需産業の再建・強化が可能になったのは、いうまでもなく、「民生用」と称する中国からの工作機械や種々の化学製品の輸入であり、半導体とその利用技術の伝授である。

　こうした事実上の軍需物資の輸入にかかる費用をロシア権力者は、すべて石油・天然ガスの販売代金によって賄ってきた。欧州諸国が対ロシア制裁の一環としてロシア産石油・天然ガスの輸入を禁止・制限しているもとで、ロシアは国際市場価格よりも安値で大量の石油を輸出している（中国とインドがロシア産石油の大輸入国だ。産油国でもあるインドネシア、UAEもロシア産石油を安価で大量に輸入しており、これを自国産石油として国際市場価格で転売して利ざやを稼いでいる）。こうして新興諸国・「グローバルサウス」諸国などに自国の資源を安売りすることによってロシアは、ウクライナ侵略の戦費をなんとか維持しているのだ。

　だがロシアに戦車やミサイルなどの生産に必要な工作機械や半導体などを大量に供給できるのは中国だけであって、まさに中国が軍事転用可能なこうした製品・半製品をロシアに輸出しつづけていることこそが、ロシアのウクライナ侵略を継続させているのである。ウクライナを侵略している「スターリンの末裔」どもを支えているネオスターリニスト国家・中国の大犯罪を、断じて許すな。

習近平政権の〝ロシア利用〟の計略

中露首脳会談の直前の五月十四日にアメリカ・バイデン政権は、中国製電気自動車に一〇〇%の制裁関税をかけるなどの対中制裁の強化にふみだした。それゆえに習近平にとって、ますます欧州の独・仏権力者との「経済交流維持」の合意の重要性が増している。

　こんにちの中国経済は、底なしの危機に直面している。不動産不況とこれと連動する地方政府の財政破綻の危機、そしてアメリカ市場への輸出および米・欧・日の外国資本の対中国投資の五分の一への激減、アメリカの対中制裁関税を回避することを狙った中国国内企業のASEANやメキシコへの生産拠点の移転による国内工場の閉鎖や民営企業の倒産の続出。街には建設途中で放棄された鬼城が林立し、失業者が溢れている。富裕層はカネをもって海外に逃避し、国内には貧窮に追いこまれた労働者・勤労人民の怨嗟の声が充ち満ちている。

こうした経済危機が中共ネオ・スターリニスト党の支配体制を揺るがしかねないと危機感を募らせている習近平指導部は、それゆえに欧州市場の確保と欧州諸国諸資本の対中投資の維持に懸命になっている。〔ちなみに中国の貿易における対欧州の割合は一四%、これにたいして対露貿易はわずか四%だ。〕四月十六日にはドイツ首相ショルツがフォルクスワーゲンのCEOを引き連れて訪中し、五月六日には習近平がフランスを訪問して貿易・投資の維持を必死でとりつけた。

こうした欧州諸国権力者にたいして対中国の不信と警戒を煽るために〝ロシアのウクライナ侵攻を中国が支援している〟という対中非難をつきつけたのがアメリカ・バイデン政権であった。これを受けて欧州の権力者は、ウクライナ侵略を続けるロシアに中国がなんらかの支援を与えるのではないかと警戒を高めていた。これを意識していたがゆえに習近平は、プーチンとの首脳会談においても、「ウクライナ問題については中立だ」という従来の態度をくりかえしたのだ。

こうして表向きはロシアとの「非軍事・実務的関係」に徹していると装いながらも、習近平政権は、FSB（ロシア連邦保安庁）強権体制のロシアと結託し、上海協力機構やBRICSなどを利用して、いわゆる「グローバルサウス」諸国——アジア・中東・アフリカ・ラテンアメリカ諸国——を緩やかな反米の陣形に引きこむことに狂奔している。バイデン政権が対中の軍事包囲網を日米軍事同盟を基軸にして多重的に形成していることにたいしては、核大国ロシアの軍事力をも誇示させるかたちで、対米・対日の軍事的威嚇行動を展開してもいる。

それと同時に、〝もしもトランプが大統領に再選されたならば「アメリカ第一主義」の名で同盟国の利害が踏みにじられかねない〟と危機感をいだく韓国・日本の政府にたいしては、自由貿易協定（FTA）交渉再開を呼びかけてもいるのだ（五月二十七日の日・中・韓首脳会議）。こうした策を貫徹するためにウクライナ問題についてロシアと一線を画しているかのようにおしだしたりもしているのだ。

泥沼の経済危機にあえぎバイデンのアメリカによる対中軍事包囲網の一挙的強化に直面させられている中共ネオ・スターリニスト官僚ども。彼らはこの危機突破をかけて、「祖国の完全統一」などと称して台湾を「中国化」する策動に拍車をかけ、東アジアにおいて対米・対日の核軍事力増強に突進している。ロシアのウクライナ侵略を発火点として、この東アジアにおいても、台湾・南シナ海・朝鮮半島を焦点として、米・日・韓—中・露・北朝鮮の戦争勃発の危機が高まっている。この戦争的危機を突き破る反戦闘争を、われわれは断固として推進するのでなければならない。

米兵による少女暴行弾劾！
辺野古大浦湾の埋立て阻止！

沖縄県委員会

米空軍兵による少女暴行を、満腔の怒りをこめて弾劾する！　またもや引き起こされた米兵の凶悪事件に、われわれは怒りをおさえることができない。しかも日米両政府は、沖縄の反基地闘争の爆発をおさえこむために、昨二〇二三年十二月のこの米兵犯罪を今日まで隠蔽しつづけてきたのだ。怒りで腸が煮えくりかえるではないか。

さらに、岸田政権・防衛省が辺野古工事を急がせたことによって、安和桟橋出口で抗議する市民が大型ダンプにひかれて重傷を負い、警備員一人が死亡する重大事故が引き起こされた。

いま沖縄の労働者・人民は怒りにうち震えている。七月四日には二つの事件を糾弾する緊急抗議集会（「沖縄を再び戦場にさせない県民の会」主催）が開催され、結集した六〇〇名の労働者・学生・市民が怒りの雄たけびをあげた。参加者が「悔しい」、「政府の事件隠蔽はわれわれへの冒瀆だ」、「安和の死傷事故は政府が工事を強行したから起きた。許せない」と次々と声をあげた。そのなかで沖縄県学連の学生が、「米軍事件・事故の根源にある日米安保同盟を粉砕しよう」と強く訴えるや、ひときわ大きな拍手が湧きおこったのだ。

この労働者・人民の煮えたぎる怒りの闘いをふみにじり、辺野古・大浦湾埋め立てに突進しているのが岸田政権だ。超軟弱地盤が広がる大浦湾に護岸建設のための杭打ち作業をいままさに強行しようとしているのだ。断じて許すな！

労働者・学生・人民は、米・日両政府にたいする憤激に燃え、いまこそ〈全米軍基地撤去・安保破棄〉をめざして一大闘争に起て！

相次ぐ米兵の女性暴行事件を隠蔽した日米両政府を許すな！

嘉手納基地所属のアメリカ空軍兵士が十六歳に満たない少女を車で誘拐して自宅に連れ去り、性的暴行を加え蹂躙した。許しがたいことに、岸田政権は六月二十五日に地元マスコミが事件をつかみ報道するまで、米兵事件を隠蔽したのだ。労働者・人民が何も知らないうちに、この少女暴行事件の後にも五月にキャンプ・シュワブ所属の米海兵隊員が女性を暴行するなどの凶悪事件が次々と引き起こされた。

日米両政府は、「日米同盟のグローバルな強化」をうたいあげた四月の日米首脳会談に傷がつくことを恐れ、また沖縄県議会選挙の前に反基地闘争が爆発することを回避するために、米兵犯罪をことごとく隠蔽してきたのだ。日米安保同盟の強化のために、許しがたい米兵犯罪の隠蔽をはかった日米両政府を怒りをこめて弾劾する！

米兵の少女暴行事件が満天下に明らかになった後になって県庁に形ばかりの〝釈明〟に来た嘉手納基地司令官は、抗議の声にたいして「謝罪」することを傲然と拒んだ。そしてアメリカ政府に尻を叩かれている防衛省幹部は「影響はほとんどない。反発は長くは続かない」などと言い放ち、辺野古への米軍新基地建設を強行しているのだ。どこまで労働者・人民を愚弄し、ふみにじるのか。〝支配者〟然としたアメリカ政府・米軍司令部と、日米軍事同盟の強化のためにこれにつきしたがう岸田政権を絶対に許すな！

土砂搬出強行による安和での死傷事故弾劾！

まさに日米安保同盟の巨悪がむき出しになり、労働者・人民の怒りが高まっているさなかに、岸田政権は八月一日から辺野古・大浦湾の埋め立て海域を囲む護岸工事を開始することを宣言した。「そのための準備作業」と称して、軟弱地盤が広がる大浦湾に巨大な杭をいままさに打ち込もうとしているのだ。

アメリカ・バイデン政権から尻を叩かれた岸田政権は、大浦湾の埋め立て作業を一気に加速させるために、辺野古現地や安和桟橋において反対する労働者・人民への弾圧に狂奔している。

六月二十八日には、少女暴行事件への怒りに燃えた市民が安和桟橋出口で辺野古埋め立て用の土砂搬出に抗議して歩道上で「牛歩の闘い」を敢行していたさなかに、桟橋から強引に国道に出た大型ダンプトラックに追突された闘う市民が重傷を負い、警備員が死亡した。新基地建設の遅れに焦った岸田政権・防衛省が、労働者・人民の闘いをふみにじって土砂搬出を急いだがゆえにこの重大事故を引き起こしたのだ。たたかう労働者・人民への凶暴な牙をむきだしにして辺野古新基地建設に突進する岸田政権を徹底的に弾劾しよう！

日米グローバル同盟の強化を打ち砕け！

米兵犯罪が続発するのは、いままさに日米両権力者が対中国・対北朝鮮の準臨戦態勢に突入し、米軍が日々激烈に殺人演習を強行しているからにほかならない。

いまや核兵器も搭載できる中距離ミサイル発射システムを沖縄・日本に配備しようと画策しているのがバイデン政権にほかならない。これに呼応して岸田政権は、沖縄・南西諸島を中国や北朝鮮を先制攻撃できる軍事要塞としてうち固めるために、島々に陸自ミサイル部隊を次々と配備している。

在日米軍と自衛隊は、七月二十八日から八月にかけて九州・南西諸島全域を舞台として日米両軍九〇〇〇人を動員する過去最大規模の合同軍事演習「レゾリュート・ドラゴン24」を強行しようとしている。

この演習には、昨年発足したアメリカ海兵沿岸連隊と勝連分屯地に配備された陸自ミサイル部隊が初めて参加しようとしている。まさにそれは、中国軍の台湾侵攻を阻止し撃滅する作戦の予行演習にほかならない。

いまプーチンのロシアによるウクライナ侵略を決定的動因として、一気に世界中で戦乱の危機が高まっている。中国・習近平政権は「社会主義現代化強国の建設」という国家戦略にもとづいてアメリカに対抗して核戦力を増強するとともに、「台湾独立勢力への懲罰」と称して、台湾を包囲する一大軍事演習を強行した。朝鮮半島では、ロシアと軍事同盟を結んだ金正恩の北朝鮮が核ミサイルの開発・配備を加速させている。

これにたいして没落帝国主義アメリカのバイデン政権は、もはや一国では中国の〝対米挑戦〟に対抗することができないがゆえに、「属国」日本の岸田政権を従えて日米軍事同盟を中国・北朝鮮に対抗する攻守同盟として飛躍的に強化している。安保の鎖でつながれた岸田政権は、この老いたる主人を支えるために、日本の軍事力・経済力のすべてを投入しようとしている。七月末に開催される日米防衛・外務閣僚会議（2プラス2）をもって、米軍司令部の指揮下に日・米両軍を一体化させ動員する軍事体制の構築に一気に踏みだそうとしているのだ。

日米「2プラス2」の開催を許すな！　米—中・露激突下での日米軍事同盟の対中国グローバル同盟としての強化をうち砕こう！

日共中央の「反安保」の放棄をのりこえ闘おう

日・米両政府が少女暴行事件を隠蔽し、安和での死傷事故を引き起こしながら、大浦湾の埋め立て工事に突進している。この重大なときに、日本共産党指導部は、七月四日の緊急抗議集会をサボタージュし、誰一人参加しなかった。日共中央の志位＝田村指導部は、米兵の少女暴行事件が明らかになった今、事件を隠蔽してきた岸田政権に「地位協定の改定」と「米軍基地の整理・縮小」を弱々しく要請しているにすぎない。日米安保同盟の巨悪があらわとなっているこの重大なときに、「安保廃棄」を掲げないとはなんと許しがたいことか。「安保条約の是非を超えた共同」と称して保守層にすり寄り、「安保条約第五条の活用」（日米共同作戦の発動）すら容認するにいたっているのが彼らなのだ。

米兵犯罪が相次いで引き起こされているのは、アメリカ権力者・米軍当局が沖縄を事実上〝治外法権の属領〟扱いし、これを自民党政権が支えているからにほかならない。このことの法的根拠は、日米安保条約とこれにもとづいて在日米軍の特権的地位を保障している日米地位協定にこそある。まさに基地あるがゆえの悲劇を断ち切るためには、労働者・人民の団結した力で安保条約を破棄し全米軍基地を撤去するのでなければならないのだ。

〈全米軍基地撤去・安保破棄〉めざして闘おう！

日共中央の「反安保」の放棄をのりこえ、「米兵による少女暴行事件弾劾！　安和での死傷事件糾弾！　辺野古・大浦湾の埋め立て着工阻止！」の闘いを、日米グローバル同盟の強化に反対してたたかおう！　日米合同演習「レゾリュート・ドラゴン」を阻止しよう！　〈全米軍基地撤去・安保破棄〉をめざしてたたかおう！

同時に、習近平の中国による威嚇的な軍事行動や、北朝鮮のミサイル発射を弾劾しよう！

いま米・日と中・露とが激しくぶつかり合い、世界が真っ二つに引き裂かれている。この〈新東西冷戦〉の狭間にある基地の島・沖縄から米―中・露激突下の戦争勃発の危機を突き破る反戦闘争の巨大なうねりをまきおこそう！

プーチンのロシアによるウクライナ侵略を粉砕しよう！　殺人鬼ネタニヤフのイスラエルによるガザ大虐殺弾劾！　アメリカ・バイデン政権の加担を許すな！

いまこそ労働者・人民は団結し、ネオ・ファシズム的な弾圧の牙をむきだしにして日米軍事同盟の強化につき進む極反動の岸田政権を打ち倒そうではないか！

国公私立大学の学費大幅値上げを阻止せよ！

全学連は全国で学費闘争の先頭に起て

日本マルクス主義学生同盟・革命的マルクス主義派

岸田政権は、二〇二四年六月二十一日にも国公立大学の「授業料の適正化」＝大幅値上げを盛りこんだ「骨太の方針」を閣議決定しようとしている。

〈軍国日本〉を支え、ＡＩ（人工知能）をはじめとする「軍民両用技術」の研究・開発をおこなう拠点へと日本の大学をつくりかえてゆくために、国公立大学の学費を最大で現在の約三倍に引き上げ、さらに私立大学の学費もそれに合わせて大幅に引き上げるよう誘導しようとしているのだ。

まさにそれは、貧困・生活苦にあえぐ学生の切り捨て以外のなにものでもないではないか。

全国の国公私立大学で学ぶすべての学生諸君！　事態は切迫している。学費の大幅値上げを絶対に許すな！

すでに全学連のたたかう学生は、北から南まで全国キャンパスで「反戦デモ」を敢行するとともに、「学費値上げ粉砕」のデモも大きな規模で実現している（五月二十九日には、国学院大学で「学費値上げ反対」を掲げた文連の対当局行動に一〇〇名の学生が決起)。そしていま、「学費闘争」のうねりが全国に燃え広がりつつあるのだ。

すべての日本の学生は、全学連とともに「岸田政府・文部科学省による学費大幅値上げ決定阻止！」の闘いにただちに総決起し、学費闘争の全国的高揚をきりひらこう！

全学連のたたかう学生は、全国学生の先頭で学費闘争を戦闘的に牽引せよ！

岸田政権・文科省による空前の学費大幅値上げを粉砕せよ

自民党の政務調査会および教育・人材力強化調査会が文科相にたいしておこなった、国公立大学の「適正な授業料の設定」という「提言」について、文科相・盛山正仁は、「政府の『骨太の方針』に盛りこむ」と明言した(五月二十八日の記者会見)。「骨太の方針」で彼らがいう「教育コスト増加」をふまえた「適正な授業料の設定」とは、もちろん現状の学費を大幅に値上げするということ以外のなにものでもない。

すでに文科相の諮問機関である中央教育審議会の特別部会において、委員として出席している慶応大学塾長・伊藤公平は、「国公立大学の授業料を一五〇万円程度に設定すべき」などという許しがたい主張をおこなっている。現在の国立大の学費の「標準額」である五三万五八〇〇円を、約三倍にも引き上げるというのだ。

政府による公共料金の値上げの認可や独占資本家どもによる生活必需品の価格つりあげなどによる狂乱的な物価高のもとで、学生や労働者・勤労人民はすさまじい生活苦に突き落とされている。

多くの学生たちが食費や水光熱費などを切り詰め・長時間のアルバイトや多額の奨学金(その多くは「貸与型」で事実上の借金だ)でなんとか学費・生活費を賄っている(政府の統計でさえ日本の労働者の実質賃金は二十五ヵ月も連続でマイナス)。この状況のもとで、学生やその親にたいして現在の数倍もの学費負担を強いるならば、学費が払えずに退学に追いこまれたり、そもそも大学への進学を断念せざるをえなくなる学生が続出するのは火を見るより明らかではないか。学生生活を根底から破壊する学費大幅値上げを断じて許してはならない。

岸田政府・文科省による学費値上げにむけた諸策動と符節を合わせて、東京大学当局は最大約一一万円の学費値上げを六月二十一日にも決定しようとしている。現状でも各国立大学当局は、文科省が定める「標準額」（約五三万円）の一二〇％（約六四万円）を上限として学費を設定することが認められているのであるからして、他の国立大学当局もまた、東大に続こうとすることは歴然としているではないか。

このような多くの国立大学当局による「学費値上げラッシュ」をつくりだすことを企んで、岸田政府・文科省は、東大当局にたいして全国の国立大学に先んじて学費を上限ギリギリまで引き上げるよう強く迫っているにちがいない。

問題は国立大学にとどまらない。中教審では「国立大学と私立大学との公平な競争」なるものが叫ばれている。このことからして、政府・文科省が「一五〇万円」をスタンダードにして各私大当局にも学費を上げるように誘導しようとしているのは明らかだ。

いま開始された空前の大幅な学費値上げ攻撃の矛先は、国立・公立・私立の違いを問わず、すべての大学の学生に向けられているのだ。

すべての全学連の学生諸君！　貧困に苦しむ学生を切り捨てにする岸田政権・自民党による学費大幅値上げの策動を絶対に阻止するのでなければならない。

東大当局による学費値上げ決定とそれへの全国の国立大学当局の追随を許さない闘いを、全国の各大学キャンパスからただちにまきおこそう！　その運動を横にひろげ、国公私立の枠をこえた学生自治会・文連などの全国的な団結をつくりだし、「学費値上げ粉砕！」の壮大な闘争をつくりだそう！

労働戦線において、政府・資本家による低賃金と物価高の強要を打ち破る闘いをつくりだすために奮闘しているたたかう労働者と連帯してたたかおう！　みずからはヤミ献金・裏金にまみれながら、貧困に苦しむ学生に重犠牲を強いる岸田自民党政府を、「学費値上げ粉砕！」の闘いによって重包囲せよ！

「大学の軍事研究拠点化反対」「大軍拡・改憲阻止」の闘いと結びつけて推進せよ

政府・文科省が大学の学費大幅値上げに込めたその狙いは、各大学に、学生からむしりとった学費を原資にして、ＡＩ・半導体・量子などの先端分野の研究を「文理融合」でおこなわせ、その〝成果〟を「軍民両用」の名のもとに国家や軍需企業が兵器開発・生産に徹底活用してゆくことにある。まさにそれゆえにわれわれは、学費の大幅値上げを阻止するために、この闘いを、大学における軍事研究反対の闘い、さらには日本の大軍拡に反対する反戦の闘いと結びつけて推進するのでなければならない。

中教審で「授業料を一五〇万円に」と発言した慶応の塾長は、「ＡＩなどの科学技術」を「使いこなせる人間を育てる」ような教育のために学費値上げが必要だ、などと主張している。ここで学費値上げの理由として強調されているＡＩこそは、アメリカ・中国・イスラエルなどの各国の権力者がその開発にしのぎをけずっている「軍民両用技術」の最たるものだ。そしてすでに権力者どもは、開発したＡＩ兵器を戦場に投入して数多の人々の命を奪っているではないか。

パレスチナでは、イスラエル権力者がＡＩ兵器「ラベンダー」にガザ地区の二三〇万人全人民のデータを読みこませ、「反イスラエル」で〝危険〟と判定した者やパレスチナの歴史や文化を研究し発信する学者・研究者・文化人などを優先して攻撃するように設定し、〝自動〟で次々と殺害させている。政府・文科省が全国の大学当局者に、文系・理系の枠をこえて学生にその習得を促し・あるいは研究にかかわらせるよう求めているＡＩ。それは、イスラエル権力者がガザ人民のジェノサイドに投入しているこの極めて人非人の殺戮兵器、これと同様の兵器の開発に権力者が利用しようとしているものなのだ。このような先端技術の研究に日本の大学を動員する策動に岸田政権が踏みだしていることを、われわれは怒りを込めて暴きだし弾劾するのでなければならない。

見よ！　四月の日米首脳会談において、アメリカの大学と筑波大学、慶応義塾大学とがＡＩの共同研究をおこなうという新たな枠組みを発足させることが確認された。日米の大学が連携してＡＩの共同研究をおこなうことが、日米共同の国家的プロジェクトとして開始されたのだ。日米両権力者が、両国にまたがるＡＩの共同研究にのりだしたのは、「軍民融合」の名のもとにＡＩ兵器の開発に血道をあげている習近平の中国との先端軍事技術開発をめぐる競争になんとしても勝ちぬくためにほかならない。まさにそのゆえに、このＡＩ研究プロジェクトには、兵器開発の観点から米軍・国防総省や自衛隊・防衛省が様ざまなかたちでかかわっていくにちがいない。

そもそもアメリカの大学は学生から多ければ年間一〇〇〇万円近くという超高額の学費をむしりとるとともに、基礎研究費の約四割を国防総省からの委託研究費によって賄い、これらを元手にして世界最大の核軍事大国を支える軍事技術研究にいそしんでいる。このアメリカの大学をモデルとして、かつ連携をつくりだしながら、〈アメリカとともに戦争をやる軍事大国日本〉を支える軍事技術開発のための研究拠点に日本の大学をつくりかえる策動が開始されたのだ。

このようなアメリカの大学との「ＡＩ共同研究」のプロジェクトに選ばれた慶応大の塾長が中教審で「国立大の学費一五〇万円への値上げ」の旗をふり、この中教審の特別部会を部会長としてとりしきっているのが同じく日米共同の「ＡＩプロジェクト」に名を連ねている筑波大の学長であることは、決して偶然ではない。岸田政権による学費の値上げと大学の軍事研究の拠点化の攻撃とは、まさしく密接不可分なのだ。

全学連のたたかう学生は、「学費値上げ粉砕」の闘いに多くの学生を組織し、彼らにたいして、学費大幅値上げを阻止するために学費を原資にした軍事研究や軍需産業への投資にも反対すべきこと、そして日米共同でのＡＩ兵器開発・海外への殺傷兵器の輸出にも反対すべきことを断固として呼びかけようではないか。

岸田政権が国立大学に支出する運営費交付金や私立大学への助成金を低額におさえこんで、各大学当局に学費を値上げさせようとしているのは、毎年一兆円のペースで大増額をしている軍事費を確保するためでもある。多額の軍事費を投入して岸田政権がおしすすめていることは、自衛隊の司令部を米軍の統合司令部のもとに組み入れ、南西諸島に長射程のミサイルを配備し、沖縄・辺野古に米海兵隊基地を建設するなど、日本全土を対中国の前線出撃基地とすることだ。まさにそれは、自衛隊を米軍に一体化させ・米軍の指令ひとつで中国や北朝鮮に先制攻撃をしかける軍事体制を構築し、日米軍事同盟を対中国の攻守同盟として強化する攻撃にほかならない。われわれは、岸田政権による大軍拡・日米軍事同盟の強化にも反対するのでなければならない。そしてまた中国・習近平政権による台湾やフィリピンの人民に銃口を向けての反人民的な軍事行動にも反対するのでなければならない。

イスラエルのネタニヤフ政権は、パレスチナ人民への食料供給を断ったうえで連日のようにラファへの空爆を強行し、人々を無差別に殺戮している。ガザ壊滅を狙ったイスラエルによる人民皆殺し攻撃に反対する反戦の闘いをつくりだそう！　イスラエルに武器を供与しつづけるアメリカ・バイデン政権、そして「イスラエルとの連帯」(外相・上川陽子)を謳う岸田政権を怒りを込めて弾劾せよ！

ウクライナ・ハルキウにたいしてミサイル攻撃を強行するプーチン政権を弾劾せよ！　ウクライナの国家・民族の抹殺を狙う〈プーチンの戦争〉を粉砕する反戦の闘いをさらに大きくつくりだそう！

われわれは、全国各キャンパスにおいて、学費値上げ反対闘争を反戦・大軍拡阻止の闘争と結びつけて断固として推進し、その全国的な高揚をかちとろうではないか！

そのためにも、われわれは「反戦・大軍拡阻止・大学での軍事研究反対」を「学費大幅値上げ粉砕の闘い」の主要な闘争任務としなければならない。

日共系エセ「全学連」を解散し・永らくキャンパスにおいて一切の大衆運動の創造を放棄してきた日共の志位＝田村指導部はいま、「学費値上げ反対、高等教育無償化を求める」署名運動にとりくむよう民青同盟員に号令を発しはじめた。いわく、「大学学内での運動に挑戦せよ」「青年たちの立場の違いを超えた、あるいは大学を超えた共同をつくれ」というように。

だがしかし代々木官僚が「大学学内での運動に挑戦」と呼びかけているのだとしても、彼らは、岸田自民党政権の財政政策について「軍事費の増額が、教育予算丸ごとよりも大きい」と指摘しているだけで、彼らの「学費値上げ反対」の方針からは「大軍拡反対・軍事研究反対・軍事費大増額反対」を完全に抜きさっているのだ。

いうまでもなく、自民党政権による学費値上げの背景にある大学における軍事研究の推進や日本の大軍拡・大学での軍事研究そのものに反対することを鮮明にして大衆的な運動をキャンパスからつくりだすことを抜きにして、現存自民党政府に「民主的な財政への転換」という代案を対置し・その採用を要請することによっては、「学費値上げ阻止」をかちとることは決してできないのだ。

こうした日共指導部による「教育を学ぶ権利を守れ」運動をのりこえ、「学費大幅値上げ粉砕」の闘いを、「大学における軍事研究反対」や「大軍拡反対」の闘いと結びつけて推進しよう。

そしてこの闘いに、日共＝民青内の良心的な学生、さらには〈愛大闘争〉に揺さぶられて起ちあがりつつある無党派系の学生をもドシドシと組織し、革命的学生運動の裾野を大きくおしひろげてゆこうではないか！

〝大学のファシズム化〟を打ち砕け！

岸田政権は、国立大学法人法を改悪し文科相が認可する学外委員の権限を強化したり（昨年末）、「セキュリティ・クリアランス」の名による学者・研究者への監視・思想弾圧を強化したりしている。その狙いは、高額の学費を投入しての軍事技術開発をはじめとする国策研究の推進に学生や教職員を従わせ、これに反対する学生や教職員をパージすることにある。

われわれは、政府やこれに追随する大学当局者による一切の弾圧をはね返して、学費闘争そのものにおいても〈反ファシズム〉の旗を高く掲げてたたかおうではないか！

愛知大学の反動大学当局者による、「学費値上げ反対」「イスラエルによるガザ人民虐殺許すな」「ロシアのウクライナ侵略反対」の運動にとりくむ学生自治会の非公認決定、自治会役員にたいする退学処分を断じて許すな！　不屈にたたかう愛大のたたかう学生とともに全国の学生は起て！

アメリカやヨーロッパの大学当局もまた、イスラエルによるガザ人民虐殺に抗議し起ちあがる学生にたいして官憲をキャンパスに導き入れて弾圧し、退学処分を下している。この暴挙を怒りを込めて弾劾せよ！

「学費値上げ反対」の闘いの一大高揚をつくりだすそのまっただなかで、学生の団結の拠点である学生自治会やサークル連合体の戦闘的な強化をかちとろう。そして、こうした闘いを全学連の拠点大学以外の大学へも波及させ・さらに全国的な横の連携をもつくりだし、〝大学のファシズム化〟を断固として打ち砕く広大な戦線を日本全国でつくりあげようではないか！

全国の学生は、「学費大幅値上げ粉砕！」の闘いに総決起せよ！

人民に貧困・戦争・圧制を強制する岸田反動政権への怒りに燃えて、わがマル学同・革マル派とともに起ちあがれ！

（二〇二四年六月七日）

全米の大学で吹き荒れる「反ユダヤ主義」狩り

ガザ人民大虐殺に抗議する学生の大学占拠闘争が、アメリカのコロンビア大学から全米へ、さらに欧州へとまたたく間に広がった。米・欧各国の権力者どもは、この闘いを「反ユダヤ主義」と烙印し弾圧に狂奔している。とりわけアメリカにおいて弾圧は熾烈をきわめ、逮捕者はすでに二〇〇〇名をはるかに越えた。学生たちは不当な弾圧にますます怒りを燃やし、ひるまずにたたかっている。

二〇二四年四月十七日、コロンビア大で学生が構内にテントを設営するや、その日に学長が連邦議会の公聴会に召喚され、白人至上主義者の共和党議員に吊しあげられた。学長はただちにニューヨーク市警を導入して学生一〇〇人を逮捕させた。怒った学生は二十九日にハミルトン・ホール〔ベトナム反戦闘争の象徴〕を占拠したが、学長の再度の要請によって武装警官がホールの窓を破って突入し三〇〇人を逮捕した。これが、全米から全欧州へ闘争が波及する狼火となったのである。

弾圧の理由、これがまた許しがたい。ガザ人民虐殺に抗議しアメリカ政府のイスラエル支援を非難し大学の侵略加担＝イスラエル企業への融資を弾劾したこと、これ自体が「犯罪」とみなされたのだ。学生たちは、「民主主義」の化けの皮をもかなぐり捨てた、このむきだしの弾圧に怒りを爆発させた。

「ラファ攻撃は全面攻撃ではないからジェノサイドではない」とくりかえし、イスラエルを批判すれば「反ユダヤ主義」と決めつけて弾圧するバイデン政権。ガザでの虐殺を毎日目にして居ても立ってもいられない学生たちは叫ぶ。「真理が蹂躙される社会のための学業に価値はない」「われわれは退学も辞さない」と。

学生を弾圧する州警察（4月25日、テキサス大学）

　ケタはずれの学費が先端兵器の開発に投入され、その兵器でガザ人民がいま現に殺されている。このことに学生たちは恥辱と責任を感じているのだ。マサチューセッツ大学アマースト校の学生はガザ侵攻の直後、大学の加担を弾劾した。彼らは大学が軍需独占体RTX（旧レイセオン、イスラエルに先端兵器を輸出）に巨額の投資をしていることに抗議して、学長室すわりこみ闘争を開始したのだ。

　学生たちはまた、大学への国家権力・暴力装置の導入や大学の産軍学協同体制への組みこみ、そしてユダヤ・ロビーや共和党の白人至上主義者どもの大学介入にも危機感を燃やしている。この介入が「反ユダヤ主義者狩り」というかたちをとっていることを、良心的教授たちは「新たなマッカーシズム（赤狩り）」だとして警鐘を打ち鳴らしている。

　コロンビア大での学生決起に直面し焦りにかられた連邦議会下院の反動的議員どもが、五月一日に「反ユダヤ主義啓発法」を大急ぎで可決した（民主党右派をふくめ賛成三二〇、反対九十一）。この法案は、「国際ホロコースト記憶連盟（IHRA）」の定義にもとづき、ドイツではすでに「反ユダヤ主義」を「犯罪」として処罰している法律、それの模倣にほかならない。

「反ユダヤ主義」の規定が、イスラエル政府へのいかなる批判も処罰の対象とする内容になっていること、このことを、ガザ人民虐殺に反対する運動を弾圧する口実として最大限に利用しようとしているのがバイデン政権なのだ。たとえば、「イスラエル国家の存在を人種差別的とみなすこと」「イスラエルのパレスチナへの対応をナチスのユダヤ人迫害と同列視すること」などが、「犯罪」とされている！ このような見解を文書で公表したり、講演をおこなったり、映画を作成したりすること、これらすべてが弾圧されることになる。否、いまアメリカでもドイツでも連日のように弾圧がおこなわれているのだ。

五月十三日に、講演のためにイギリスから訪れたイスラエル国籍の歴史学者イラン・パペが、デトロイト空港でＦＢＩに拘束された。「お前はハマスを支持するのか」と尋問され、スマホの記録をすべてコピー＝押収されたのだ。パペはナクバがシオニストの計画であることを初めて実証し、イスラエルから追放された研究者であり、ハマスを「正当な解放運動」と評価している。彼の拘束はまさに「新たなマッカーシズム」だ。

このような弾圧にアメリカ政府が狂奔しているのは、もちろん、狂信的なイスラエル支持者たるキリスト教福音派やユダヤ・ロビーなどの圧力による。けれども、この弾圧によってバイデンの民主党はまさに墓穴を掘っているのだ。

これまで米民主党の支持基盤をなしてきた黒人やヒスパニック、アラブ系などのマイノリティが、そして何よりも「Ｚ世代」（三十歳台以下で四〇〇〇万人）が、イスラエルによるジェノサイドを眼前にして、そして、ネタニヤフ政権を支える以外に何の策もうちだせないバイデン政権に断を下し、雪崩をうって民主党離れをはじめた。大統領選をひかえ、「民主主義」のボロ旗がますますボロボロになり、没落帝国主義の末期症状をさらけだしているのがバイデン政権なのだ。

アメリカやヨーロッパのたたかう学生と連帯して、ガザ人民大虐殺阻止の闘いを日本の地からさらに高揚させよう。

地方自治法の改悪を許すな！

対中国戦争遂行への協力を自治体に強制

地見　登

岸田政権は「国民の安全」を確保するためと称して、地方自治体への強制力をもった政府の「指示」を明記した地方自治法の改定案を閣議決定し、今通常国会での成立を狙って直ちに上程した(二〇二四年三月一日、六月十九日に参院で可決・成立)。

台湾・南シナ海・朝鮮半島において、米・日と中国・北朝鮮との軍事的角逐が激化している。中国・北朝鮮と最前線で対峙する日本帝国主義の岸田政権は、「中国主敵」の多国間軍事同盟構築に狂奔するバイデン政権の「対日要求」に積極的に応え、沖縄・南西諸島をはじめ日本全土の軍事基地強化、対中国の準臨戦態勢構築に突き進んでいる。岸田政権は「台湾有事」に備えて戦争遂行に地方自治体・労働者人民を総動員するために、国家による地方自治体への統制を一挙的に強化する地方自治法の改定にのりだしたのだ。まさにそれは、自民党政権が策す憲法への緊急事態条項創設を先取りするものであり、軍事強国にふさわしく日本型ネオ・ファシズム支配体制を飛躍的に強化するものにほかならない。

「指示権」確立による自治体への強権的な統制

改定案の要旨は次のようなものである。「大規模な災害や感染症の蔓延など」、①「国民の安全に重大な影響を及ぼす事態が発生し」または「発生するおそれがある場合」、②「国民の生命等の保護の措置」について、③「閣議の決定を経て」、④担当大臣は地方自治体当局にたいして「必要な指示」をすることができる。⑤指示を受けた自治体当局は、その実施を義務付けられる。

一見して明らかなように、岸田政権は「指示権」の行使を必要とする要件を、抽象的な「重大な〜事態が発生」した場合とするとともに、「発生するおそれがある場合」をも含めている（①）。さらに指示の内容も「生命等の保護の措置」と一般化している（②）。つまり「国民の安全に重大な影響を及ぼす事態」とはどのような「事態」なのか、何をもって「発生するおそれ」があると言えるのか、「生命等の保護の措置」とはどのような措置かなどを法文上ではあいまいにし、これらの要件のすべてを政府の判断ひとつに委ねたうえで、自治体当局にたいして実施義務のある指示（⑤）をすることができるということだ。しかも必要な手続きは閣議決定のみ（③）とし、国会への事後報告すらない。まさに地方自治体への強権的な指示をフリーハンドで政府がおこなえるようにするものではないか。

現行の法制度のもとでは、政府が自治体当局に指示することは形式上はきわめて制限されている。指示ができるとされているのは、自治体の行政事務が「違法」である場合の「是正の要求・指示」（地方自治法）と、新型インフル特措法や災害対策基本法などの個別の法律において政府の指示が規定されている場合だけとされている。

もちろん現実には、岸田政権はいうまでもなく歴代自民党政権は、様ざまにアメとムチを駆使して、自治体当局に政府の施策への協力や服従を強制してきた。「技術的助言・勧告」という名の通知を頻繁に自治体に送りつけ、政府の施策に抵抗する自治体には交付金を削減する、これらは政府の常套手段なのだ。

沖縄の基地問題をめぐる政府の対応こそはその最たるものだ。許しがたいことに岸田政権は、沖縄において、地方自治法に規定されている「是正の指示」を振りかざして辺野古新基地建設反対の闘いを破壊することに狂奔してきただけではない。沖縄の労働者・学生の奮闘と、それに支えられた沖縄県当局の設計変更の「承認」拒否によって基地建設工事が大幅に遅れ、焦燥を強めた岸田政権は、史上初の代執行によって工事再開を強行したのだ。

今ある自治体への指示の制限は、地方分権一括法の施行（二〇〇〇年）により機関委任事務制度が廃止され、地方自治法において自治体の「自主性・自立性」が謳われたことにもとづいている。政府は形式上は自治体の「自主性・自立性」を尊重している体裁をとらなければならないがゆえに、労働者・人民の懐柔や法的手続きに時間や予算を使ってきたのだ。

だがいまや、激甚災害や感染症の蔓延があいつぎ、これへの対応を迫られているだけではない。何よりも対中国・対北朝鮮の戦争体制構築に突進している岸田政権は、自治体当局を——彼らの管理下にある港湾や空港などの軍事利用に協力させるなど——政府の戦争政策に従わせ人民を動員するために、国の指示権を確立し自治体への統制を一挙的に強化する攻撃にふみだしたのだ。

日本型ネオ・ファシズム支配体制の飛躍的強化

今回の地方自治法改定案は、首相・岸田文雄がみずからの諮問機関である地方制度調査会(以下地制調と略す)におこなった諮問(二〇二二年一月「ポストコロナの経済社会に対応する~地方制度のあり方について」)にたいする答申(二〇二三年十二月)をもとに法案化されている。地制調はこの答申において、「これまでの大規模な災害、感染症の蔓延等の事態」に、「各個別法上も地方自治法上も」十分対応していなかった、「国が地方自治法の規定を直接の根拠として、必要な指示を行うことができるようにすべきである」と提言したのだ。

地制調が個別法上も地方自治法上も「十分対応していなかった」例としてあげたのは、新型コロナ発生時において、当時の首相・安倍晋三が突如うちだした「学校の一斉休校」などという政府方針を一部の自治体が実施しなかったことや、同じく政府の飲食店などの休業や営業時間制限の指示をめぐって東京都や大阪府が抵抗したことだ。政府は指示に従わないこれらの自治体に、個別法上でも地方自治法上でも対応できなかった。またダイヤモンド・プリンセス号の新型コロナ患者を県外の病院へ移送する問題では、国による自治体間の調整が必要となったが、これの根拠となる規定が感染法上になかった。そこで急きょ感染法を改定して対応することを国は強いられた。これらのことがらを答申では、政府の方針が愚策であったことを棚に上げて、自治体が従わなかったことをあげつらい「的確かつ迅速な対応に万全を期す観点」からは地方自治法に欠陥があり見直しが必要などとぬかしているのだ。

つまり、岸田政権が地制調に言わせているのは、現行法制度のもとでは「感染症、自然災害、武力攻撃」などによる国家的危機に直面しても、政府の施策を「的確かつ迅速」に貫徹できないということなのだ。このことを明け透けに語っているのが、政府

・総務省である。この総務省のもとに発足した「デジタル時代の地方自治のあり方に関する研究会」において、「新型コロナ感染症対策やデジタル法案立案などに際して、『地方自治』『地方分権』が施策の円滑・効果的な実施の支障となっている」という指摘が各界からあるなどと称して、「デジタル時代の『地方自治』のあり方」を検討する、という名のもとに自治体の統制が必要であるとうちだしているのだ。

地制調は、今回の答申において、「国民の安全に重大な影響を及ぼす事態」として自然災害と感染症の蔓延をおしだしているが、小委員会の論議においては「武力攻撃」の場合に国がどのような指示を地方自治体にたいして出せるのかということについても検討している。文字どおり戦争遂行に自治体をいかに動員していくかが焦点とされているのだ。この論議においては、通常使用する「緊急時」とか「有事」という言葉ではなく、「平時」にたいする「非平時」という表現が使われている。これは、「有事」という表現を避けてごまかすとともに、いわゆる「プレ戦時」をもふくめて戦争態勢づくりへの自治体当局の協力を強制することが議論されているのだ。

議論において総務省は、武力攻撃事態対処法や国民保護法においては、武力攻撃が発生したときに必要になる事項や国と自治体の役割が詳細に規定されていること、指示権の発動については閣議決定・国会報告・公示が必要であると説明している。これを受けて議論では「非平時対応については個別に危機管理法制が整備されて」いるが、個別法が想定しない事態に対応するために『非平時』における一般ルールを地方制度として用意しておくことが必要」などと強調されたのだ。個別の法では詳細な規定に縛られて使い勝手が悪いから、地方自治法上の指示権をフリーハンドで確保するということなのだ。

まさに地制調で論議されていることは、戦時下の地方制度のあり方であり、その核心は自治体当局の抵抗を抑え戦争に動員するための、強制力をもった政府の「指示権」を確立することにほかならない。

アメリカとともに戦争ができる国にふさわしく国内支配体制を飛躍的に強化する、地方自治法の改悪を許すな！

FSB強権型支配体制を打ち倒せ

ロシアのウクライナ侵略・人民虐殺弾劾！

井司健吾

A　〈プーチンの戦争〉を粉砕せよ！

憎むべき侵略者プーチンの政権は、まさに今、ウクライナ全土へのミサイル・ドローン機攻撃や東部地域での攻勢を強め、ウクライナ人民の虐殺と生活インフラ破壊を強行している。二〇二四年五月七日のプーチンの大統領就任式、五月九日の対独戦勝式典を目前にして、この式典を飾りたてるために戦果を少しでもあげようと躍起になっているのだ。これにたいしてウクライナの労働者・人民は、軍と一体となってレジスタンスを粘り強くたたかいぬいている。われわれは、悪逆無道の〈プーチンの戦争〉を絶対に許してはならない。

プーチン政権は、「ウクライナの非軍事化・非ナチス化」などとほざいてウクライナ侵略を強行している。ウクライナの民族と国家そのものを抹殺してウクライナをロシアの属領たらしめることを、この政権はたくらんでいるのだ。これを、世紀の蛮行といわずして何といえようか。そもそも、一九九一年のスターリン主義ソ連邦の大崩壊（ソ連邦を構成した諸共和国すべての国家的独立）と〝亡国〟と化したロシアの米欧帝国主義による半植民地化、この汚辱に満ちた歴史を消しさり旧ソ連邦の版図を復活するという野望をたぎらせているのがプーチンである。この男は、「ソ連邦崩壊は二十世紀最大の地政学的な惨事だ」と屈辱感をむきだしにして叫んでいる。

侵略戦争を強行しているプーチンの政権において諜報機関＝ＦＳＢ（連邦保安庁）が主導する支配体制が構築され、この国家はＦＳＢ強権型国家というべきものである。この権力は、主に少数民族地域や貧困地域から動員兵を招集して戦場に駆りだし、すでに三五万人を死傷させただけではなく、なおも人海戦術での肉弾戦へと兵士を駆りだしている。そして、一〇〇万人ものロシア人が国外に脱出している。このことに焦りと危機感を募らせているプーチン政権は、諜報と治安弾圧機関としてのＦＳＢの権限を活用してフェイク情報の垂れ流しと強権的弾圧に狂奔し、もって戦時総動員体制の構築に血眼になっているのだ。国家財政の約四割を軍事関連が占めるという戦時経済のもとで、二十四時間操業での兵器増産に狂奔しながら、である。

プーチン政権は、みずからの侵略戦争を、ネオナチと見立てたウクライナのゼレンスキー政権とこれを支援する米欧諸国にたいする「反ファシズムの正義の戦争」などと描きだしている。このデマゴギーにもとづく侵略戦争を正統なものと強弁するためにプーチン政権は、多大な犠牲のうえに勝利した第二次世界大戦における対独戦＝ナチス打倒の「大祖国戦争」の「教訓」なるものをにぎにぎしく宣伝している。労働者・人民をウクライナ侵略戦争に動員するために、「生命を投げだして祖国を救った愛国精神」で労働者・人民を洗脳するキャンペーンに狂奔しているのだ。

それだけではなく、プーチン政権は「ソ連邦の礎を築いた」スターリンを賛美するプロパガンダにのりだしている。「スターリン通り」の復活、高等教育用の歴史教科書の書き換え（「スターリンは功罪があったが、功績の方が圧倒的に上回った」とスターリンを礼賛）等々。侵略戦争を聖化するために、スターリンの末裔にふさわしくスターリン賛美を奏でているのだ。

だが、このＦＳＢ強権型国家の綻びが次々と露呈している。プーチン政権は、侵略戦争そのものにおいてキーウ攻略戦の惨めな敗北やマリウポリ攻略の大幅な遅延などの誤算に次ぐ誤算を突きつけられ、今もなおウクライナの軍と労働者・人民の頑強な抵抗に直面している。しかも、陸続きでロシアの侵攻に神経を尖らせているＥＵ諸国の権力者が、アメリカ帝国主義がウクライナ支援を途絶させているがゆえに、ウクライナへの軍事支援の強化にのりだしている。

それだけではない。不正と暴力と恫喝によって大統領選挙の「圧勝」を演出したにもかかわらず、「戦争反対」「プーチン反対」の声が労働者・人民の底流で渦巻いていることを突きつけられた。こうした現実に焦りを募らせていたのがＦＳＢの官僚どもであった。

三月二十二日のモスクワ近郊での銃乱射事件は、安全保障会議書記パトルシェフやＦＳＢ長官ボルトニコフらＦＳＢの官僚どもが仕組んだ謀略事件いがいの何ものでもない（本誌第三三一一号「モスクワ近郊の銃乱射事件の謀略性」を参照）。プーチン政権は「事件にウクライナが関与した」とわめき「米欧によるロシアへの戦争宣言だ」などと喧伝している。プーチン政権が、ウクライナおよび米欧への憎しみを煽り新たな動員令の布告を狙っていることは明らかである。〔二〇二三年六月にひきおこされた〝プリゴジンの乱〟は、ロシア軍と民間軍事会社（「ワグネル」）との対立を浮きたたせた。それだけではなく、軍官僚とＦＳＢ官僚との対立、そしてＦＳＢ強権国家の中枢そのものでの対立をあらわにしたのであった。〕

われわれは、皇帝気取りの今ヒトラー＝プーチンをはじめとするスターリンの末裔どもの蛮行を粉砕するために、今こそＦＳＢ強権型支配体制そのものを打ち倒すことを、ロシアの労働者・人民に呼びかけるのでなければならない。

Ｂ　ＦＳＢ主導の強権的＝軍事的支配体制

同志黒田寛一は、二〇〇三年暮れにロシア下院選においてプーチン与党の「統一ロシア」が圧勝した、この現実と対決し次のように喝破した。「ＦＳＢ（旧ＫＧＢ）強権体制の選挙をつうじての強化（十二月七日）確定。ＦＳＢ強権体制的国家資本主義への突進」（『ブッシュの戦争』ＫＫ書房刊、二〇〇頁）と。ロシアの政治支配体制はＦＳＢを実体的基礎とした強権的＝軍事的支配体制として強化され、その政治経済構造はＦＳＢ強権型国家によって統制される「市場経済」すなわちロシア型の国家資本主義というべきものへの転換が画された、このことをいち早く洞察し暴きだしたのだ。

このＦＳＢ強権型国家というべき支配体制ないしは統治形態の独自性、その反人民的本質はどこにあるのか。

スターリニスト的統治の模倣

「行政権力」としては大統領制の形式をとっているけれども、大統領（プーチン）、安全保障会議書記（パトルシェフ）、国防相（ショイグ）、ＦＳＢ長官（ボルトニコフ）、対外課報庁長官（ナルイシキン）らを主要構成メンバーとする国家安全保障会議が実質的な最高意志決定機関となっている（旧ソ連時代のソ連共産党政治局を模して週一回開催）。国家の最重要課題についてはＦＳＢ官僚の頭目であるパトルシェフを核とする数名での会議が随時もたれている。大統領プーチンはＦＳＢ強権的支配体制の表看板として担ぎあげられているといってよい。

〔追記――五月十二日に、プーチンはショイグを国防相から解任し、後任にベロウソフを任命した。ショイグは国家安全保障会議書記に移され、パトルシェフは大統領補佐官に就任。〕

議会は与党「統一ロシア」が議席の過半を占拠し、政府が提出する諸施策（法案など）をたんに追認するだけの機関と化している。この点でも旧ソ連時代の最高会議が共産党中央の決定事項の追認機関と化していたのと同様である（下院に議席を確保しているのは与党以外にロシア連邦共産党、自由民主党のみ）。また、全国を九つに区分けして設置された連邦管区（現在は十管区）のすべてに大統領特別代表が任命され、そのもとに中央―地方の統治のヒエラルヒーが確立されている。

FSBの要員が国家諸機関の全部署および地方諸機関の主要箇所に配置され、監視と監督が強化されている。官庁だけではなく、国営諸企業、大学などの教育機関などにもFSB職員が監視・諜報のために派遣され、エージェントを育成しての情報提供の網の目がつくりだされているのだ。

こうした支配体制を支えるために、文字通りの暴力装置たる軍そのものが一挙に強化されてきた。約一〇〇万人の国軍だけではなく、FSB付属の軍隊、内務省の治安部隊、さらに大統領直属の国家親衛隊（三四万人）などがそれである。このようなFSB強権型国家、その内実は中央集権の強権的＝軍事的支配体制いがいの何ものでもない。

支配体制を実体的に支えているFSBは、旧ソ連時代のKGB（国家保安委員会）を解体的に再編して創出されたものとされているが、実体的にも、機構的にも実質的に旧KGBを継承した、その再生版でしかない。〔エリツィン政権下で、旧KGBは分割・縮小されたが、解体されたわけではない。エリツィン時代末期に、とりわけプリマコフが首相の時に、旧KGB勢力が再結集したと推測しうる。〕

対外諜報を任務としたKGB第一総局は、ロシア対外諜報庁（SVR）として分割され独立化されたままであるが、旧KGBの基本的任務とその機構はFSBに受け継がれている。FSBは防諜と軍監視を任務とする第一局、反体制派取り締まりの第二局、経済安全保障の第四局などの九局からなり、国境警備庁・捜査部も付設されている。（以上は、保坂三四郎『諜報国家ロシア』中公新書参照。）FSBだけでも総員が五〇万人以上を有し、予備役制度もある。ちなみに、FSBの紋章は、ロシアの国章「双頭の鷲」を守る「盾と剣」であり、この「盾と剣」は旧

ＫＧＢと同じである。

諜報機関としては、ＳＶＲ、ＦＳＢ以外に軍参謀本部情報総局（ＧＲＵ）があり、これらの官僚と軍エリートなどもあわせた、いわゆるシロビキ（通称「武闘派」）が主要な支配層を形成しているのである。旧ソ連時代の「支配政党」であるソ連共産党＝スターリニスト党が存在しないなかで、ロシアの支配体制を実体的に支えているのがＦＳＢ官僚などのシロビキである。このＦＳＢ強権型の支配体制を護持するために、検察・裁判所が一体となって脱税・贈収賄をでっち上げての政敵追い落としや強権的手法での反対運動つぶしが強行されてきただけではなく、謀略や殺人もその主要な手段とされているのだ。

強権的＝軍事的支配体制を下から支えるために、さまざまな「社会団体」が創出されているが、その中心をなすのが「ロシア愛国戦線」である。そして青少年育成を名分にして旧ソ連のコムソモール（共産主義青年同盟）を模して「ナーシ（われらの仲間）」などの青少年組織が創出されてきた。二〇一六年には国防相ショイグの指示で全ロシア児童青年軍事愛国社会運動「ユナルミヤ（青少年軍）」が創設され、隊員は一〇〇万人を超えているという。今日の戦時下で初等教育では愛国軍事教育が義務化され、軍事教練が強制されているのだ。

ロシア正教の活用と大ロシア主義の宣揚

プーチン政権は、多民族国家ロシアの国民的統合をはかるためにロシア正教をその最大のテコとして活用している。国民の七割がロシア正教徒であるがゆえに、重要な教会行事を国家行事に格上げし、内外政策への国民動員のための後押しを正教会に委ねているのだ。「教会、軍、国家権力の三者は祖国の柱」ということをみずからの「信念」などとおしだしている現総主教キリルは、ソ連時代には「ミハイロフ」のコードネームをもつＫＧＢのエージェントであった。ウクライナ侵略のロシア軍には従軍聖職者として司祭が派遣され、戦争に反対した司祭は総主教によって聖職を剥奪され弾圧されているのだ。

ＦＳＢ強権体制を支えているイデオロギーは、

「ロシア世界（ルースキー・ミール）の統一」をふりかざしてのロシア愛国主義であり大ロシア主義である。プーチンが「ロシア世界」という場合に、たんにロシア民族という意味ではなく母語としてのロシア語を話す（ロシア正教を信教する）人々が住まう世界全体（「文明圏」）をさす。多民族国家ロシアにおける共通の価値規範をロシア語とし、このロシア語の「普遍的価値」なるものを宣揚しているのだ。（ソ連邦の崩壊によってロシアからきりはなされたロシア人は二〇〇〇万人以上といわれている。）この「文明圏」思想につらぬかれているのは、大ロシア主義そのものであり、ロシア帝国およびソ連邦の版図の復活と拡大をたくらむ膨張主義にほかならない。

皇帝気取りのプーチンやFSB官僚どもは「共産主義」（実はスターリン主義）のイデオロギーを排斥しているけれども、「超大国」を誇ったソ連邦国家の遺産（「大国性」）を復活することをおのれの使命としている。ソ連邦の解体を「産湯とともに赤子を流した愚」（プーチン）などと称して。

私腹を肥やす特権的支配層シロビキ

FSB官僚主導による支配体制の経済的基礎は、次のようなものである。今日のロシアにおいては、石油・天然ガス、希少金属などの資源や兵器生産、原子力などを主要産業（「戦略的産業」）とし、これらを部門別に中小の諸企業（数十社から数百社）をも束ねて持ち株会社形式での大規模国営企業（国策会社）がつくりだされている。これらの基幹部門の企業経営者にはFSB官僚が配置されている。〔石油のロスネフチ会長セーチン、ロステクノロギー会長のチェメゾフ、ロシア鉄道社長ヤクーニン、ロスアトム（原子力）会長キリエンコ、ロスオボロエクスポルト（武器輸出）会長イサイキンなど――世界最大の天然ガス企業ガスプロムも政権支配下にある。〕

ロシアに特有のこうした経済構造は、支配層たるFSB官僚をはじめとするシロビキどもの私腹を肥やす温床になっている。ソ連崩壊後に国有財産を二束三文で強奪してきたマフィアやオリガルヒどもから財産を没収ないし奪取して莫大な財を築いてきたのが、みずからも国有財産を強奪しマフィアと結託してきたＦＳＢ官僚をはじめとするシロビキどもであった。二〇〇八年のリーマンショックとして爆発した世界的大不況・国際金融危機を契機にして、ＦＳＢなどのシロビキの官僚層が主要産業を全面的に支配していくために、オリガルヒの淘汰と産業再編、諸企業の統合がおしすすめられてきたのだ（政府が救済する企業を選別するための「プーチン・リスト」が作成された）。

　こうして企業経営層におさまったシロビキどもは、莫大な役員報酬や種々の特権を享受し、株式所有にもとづく所得も手に入れた。しかも、資源開発のための調査・試掘・掘削作業の割り当てや諸企業への国家発注、そして製品の生産から販売（輸出を含む）にいたる過程のすべてにおいてリベートを課して不当に取得したり、贈収賄などをテコにして独自の利権構造をつくりだしてきた（「世界最大の汚職大国」といわれるゆえん）。獄中で謀殺された反プーチンの活動家ナワリヌイが暴露したように、絢爛豪華な城のような建物と広大な敷地を私宅としているのがプーチンである。ＦＳＢの官僚どもはおしなべて、スイスなどに隠し口座をもち海外に別荘を所有し、贅沢三昧の生活をしている。みずからの子弟は海外留学させ、巨大諸企業の役職や省庁官僚に送りだしている（徴兵逃れも）。これらわずか一％の特権官僚層が国家の資源の七五％を支配しているのだ。この特権官僚層と低賃金にあえぐ労働者・人民との格差・対立は、戦時下でますます広がり、労働者・人民の不満・反発が鬱積しつつある。

「強大国ロシア復権」の国家戦略の明示

プーチンを表看板としたFSB強権型支配体制の確立を歴史的に捉え返すならば、以下のようにいえる。

ソ連邦崩壊後のエリツィンを頭目とする急進的資本主義改変派によるデタラメな「政治・経済改革」が大破産し、一九九八年の〈ロシア・クライシス〉（ルーブルの大幅切り下げと債務不履行）が亡国ロシアの経済にとどめを刺した。ロシア全土が政治的経済的そして社会的のアナキーに覆われ、塗炭の苦しみに突き落とされた炭鉱労働者をはじめとする労働者たちは「エリツィン退陣」を掲げてストライキ闘争に陸続と決起した。現出した政府機能の麻痺と支配体制の崩壊的危機を打開すべく担ぎあげられたのが、元KGB中佐のプーチンであった（FSB長官から首相に）。エリツィンとその「ファミリー」（とくにユダヤ系オリガルヒ）は、自己の生命と安全保障（財産の死守を含む）のためにあえてプーチンを次期大統領に指名した。だが、この無名のプーチンを大統領にまでおしあげたのは、旧KGBを引き継いだFSBの官僚群であり、この連中こそが背後の黒幕であった。

これらFSBの官僚どもは、一九五六年に武装蜂起した労働者を、駐ハンガリー大使として血の海に沈めた張本人であり・ソ連共産党書記長にまで登りつめたKGB議長アンドロポフ、彼のもとで〝筋金入り〟の諜報員として育てられた世代である。旧レニングラード支部のKGBメンバーを中心とするこの勢力は、一九九九年夏のモスクワなどでのアパート爆破謀略事件を仕組み・これをテコにして対チェチェン戦争を開始し、もって大統領プーチンの誕生を演出した。それだけではなく、二〇〇二年十月のチェチェン武装勢力によるモスクワ劇場占拠事件においては、一三〇名もの観客を殺害するという強権的弾圧によってプーチンを「強いロシアを象徴する大統領」におしあげたのだ。

ところで、一九九九年暮れに発表された「千年紀の狭間のロシア」と題した論文（「プーチン論文」と銘うったＦＳＢ合作論文）は、「大国ロシアの復権」をシンボルとするロシアの新たな国家理念を提示するものであった。「ロシアの遺伝子としての家父長的伝統」とか「大国性・愛国主義こそがロシアの伝統」とかの大ロシア主義のイデオロギーが盛りこまれた。「民主主義と市場経済化」を基調とするエリツィン時代の路線からの転換をはかることを明記したこの論文は、旧ＫＧＢ勢力の巻き返しの宣言として意義をもつ。

ユダヤ系オリガルヒを追放してマス・メディアを牛耳ったＦＳＢ官僚どもは、さらに米欧石油資本との提携を画策した石油企業ユコスを解体して石油産業支配にものりだした。米欧帝国主義諸国政府や独占資本とつながっている政敵を次々に追い落としたＦＳＢ官僚をはじめとするシロビキどもは、二〇〇三年暮れの下院選において与党「統一ロシア」が議席を事実上独占することに奏功したのであった。

このようにＦＳＢ強権型国家を確立する区切りをなすのは、理念・イデオロギー上は「大国ロシア復権」の国家戦略の明示（一九九九年暮れ）であり、現実的にはＦＳＢ強権型支配体制の確立（二〇〇三年）にあると捉え返すことができる。

Ｃ　ウクライナ人民と連帯して闘おう

われわれは、〈プーチンの戦争〉を粉砕するためにウクライナ反戦闘争をいっそう強化しなければならない。ウクライナ人民を孤立させることなく、彼らのレジスタンスに連帯し全世界の労働者・人民の決起を呼びかけたたかおうではないか。

われわれは、ロシアの労働者・人民に呼びかける。プーチン政権のウクライナ侵略戦争を翼賛し戦争動員を率先して担っているロシア連邦共産党や共産主義労働者党などの残存スターリン主義党を弾劾せよ！

ロシアの労働者・人民にとっての敵はウクライナ人民ではなく、侵略戦争に駆りたてているプーチン政権なのだ。動員されたロシアの兵士は、銃口をプーチンに向けよ！ すべてのロシア人民は、強権的弾圧に抗して、反戦・反プーチンの闘いに決起しよう！ 侵略に抗してレジスタンスをたたかっているウクライナの労働者・人民と連帯しよう！

われわれはロシア労働者階級に熱く訴える。プーチン政権はロシア国家と経済を立て直した「救世主」などでは断じてない。ウクライナ人民大虐殺を強行しているだけではなく、ロシアの兵士に死を強制し侵略を拡大することを「ネオナチからロシアを守る神聖の義務」などと強弁しているプーチンの政権は、労働者・人民の敵いがいの何ものでもない。FSBの官僚どもが「超大国ソ連」の版図復活をたくらんでいるのも大ロシア民族主義の外に向かってくの暴力的な貫徹を意味するのであって、スターリンの末裔としての彼ら支配層の特殊的利害にもとづくものにほかならない。今こそ、〈プーチンの戦争〉の反人民性に目覚め、労働者階級的自覚をかちとり横に団結を広げ、ウクライナ労働者・人民との連帯をかちとっていこう。

そして、「社会主義大国」を自称したソ連邦はなぜ崩壊したのか、圧政と貧困と粛清の別名でしかないソ連邦とは、ニセのマルクス主義としてのスターリン主義の国家でしかなかったことを、現在的に省察する必要がある。〈プーチンの戦争〉と真正面から対決するためには、このスターリン主義との対決が不可避に問われるのだ。

実際、見よ！ 欧州をはじめとする世界の自称「左翼」が、侵略者が誰かを曖昧にして「ロシアとウクライナとの同時停戦」などを要請し、実質的にプーチンを擁護しているではないか。わが革命的左翼が、全世界で唯一〈プーチンの戦争〉の階級的・歴史的意味を暴きだしウクライナ反戦闘争を革命的に展開しえているのは、まさにこのスターリン主義と真っ向から対決し、その打倒を――帝国主義の打倒とともに――戦略としているからにほかならない。

反スターリン主義運動の創始者・黒田寛一は、すでに半世紀以上も前に、スターリン主義の反マルクス主義的本質を暴きだし、労働者階級の全世界的な真実の解放のために〈反帝国主義・反スターリン主義〉の世界革命戦略を提起した。同志黒田は、ロシア語版著作の発刊に際して、ロシア労働者階級に・そして全世界の労働者階級に次のように呼びかけた。——

「ソ連邦がドラスチックに崩壊してしまったのだとはいえ、ロシア革命の過程と革命ロシアのスターリン主義的変質、とりわけゴルバチョフによるソ連邦の破壊などについての歴史的省察・理論的根拠のほりさげ、一口でいえばスターリン主義が二十世紀において果たした役割・犯罪・罪業を総括することは、いまなお依然として残されている。二十世紀を動かしたとさえいえるスターリン主義・ソ連邦、この事態を理論的にも歴史的にも総括することが、旧ソ連人民にだけではなく全世界の革命を志向するすべての人びとにも課されている世界史的課題なのである。」（「『ゴルバチョフの夢』ロシア語版発刊に寄せて」『黒田寛一のレーベンと為事』ＫＫ書房刊、三九〇～三九一頁）

マルクス主義を「幼稚なユートピア」と罵倒したゴルバチョフによってソ連邦は破壊され、革命ロシアの伝統は埋葬された。スターリン主義ソ連邦の崩壊は、全世界の労働者階級にとっては、「万国の労働者よ、団結せよ！」で結ばれた『共産党宣言』によって告知された世界史の現代への転換、そしてこれを現実的なものたらしめた世界史上初めてのロシア・プロレタリア革命の実現と労働者国家ロシアの樹立——このように切り開かれてきた現代史を大逆転するという意味をもつのだ。このゆえに、真実の自己解放を希求する全世界の労働者階級がスターリン主義の虚偽性に目覚め、帝国主義とともにスターリン主義を打倒する闘いに決起することが今こそ問われているのである。

われわれは、〈プーチンの戦争〉を打ち砕くウクライナ反戦闘争をおしすすめると同時に、暗黒の二十一世紀を「プロレタリア革命の第二世紀」たらしめるために奮闘するのでなければならない。

（二〇二四年五月三日）

闘うウクライナ人民と連帯して　その6

腐敗きわめる西欧の自称「左翼」への怒り

――ウクライナ左翼との熱い交流――

立山　弘

革マル派の国際活動を担ってきた私は、昨二〇二三年、同志たちとともに、ウクライナ人民の先頭に立って闘っている左翼の人々と直接会って討論してきた。

われわれが会った人々はみな、憎むべきロシア権力者の侵略にたちむかい、マルクス主義者としての闘志を燃やして闘っていた。われわれは、この人たちと会って話して本当によかったと思った。そして、彼らと連帯して闘う決意を強烈にうちかためた。

いま私は、ロシア軍がウクライナを猛爆撃したという報を聞くたびに、会って話した人たちの顔を思い浮かべ、彼らはどうしているだろうか、どう闘っているだろうか、そしてわれわれは彼らと連帯していかに闘うべきかと、毎日毎日考えている。

私はいま、ロシア権力者の世紀の大犯罪をなんとしても打ち砕くという決意をあらたにしつつ、彼らとの交流をふりかえることにする。

「どんなことでも聞いて！」

　ウクライナ左翼の人々は、労働者・人民の文字通り最先頭に立って闘っている。軍や領土防衛隊に入って侵略軍との戦いの最前線に立つ人。兵站や人道支援に従事する人。戦時下でも政府や資本家にたいして労働者の生活と権利を守るために労働組合を強化する闘いに邁進している人たちもいる。彼らはまた、ヨーロッパをはじめ世界の労働者・人民にウクライナ人民の闘いへの連帯と支援を訴える活動を展開している。

　日本のわれわれを彼らは笑顔で迎え次のように言った。「遠く隔たった日本の地にウクライナの闘いを支援する人々がいることは、自分たちの闘いにとって大きな支えです」と。会ったその瞬間から、私は、彼らが日本の革命的左翼に寄せる熱い共感を肌で感じたのだった。

　ロシア権力者が二〇二二年二月二十四日にウクライナ侵略を開始した直後からわれわれは、この大犯罪を弾劾しウクライナ人民との連帯を訴える声明や論文を英語やロシア語で発してきた。ウクライナ左翼の人々は、われわれが送った声明や論文を読んで、またわれわれとのメールの交換をつうじて、わが反スターリン主義革命的左翼への共感と信頼を深めてきたのだ。

　ある女性は、「どんなことでも聞いて！　何にでも答えるから」と、テーブルごしに身をのりだすようにして言った。「西欧の一部左翼はウクライナにたいして〝今すぐ停戦して交渉せよ〟とかと言うけれど、彼らはウクライナで何が起きているかをまったく知らないし、知ろうともしない」と、彼女は怒りをこめて語った。「どんなことでも聞いて」という言葉に、西欧の傲慢な自称「左翼」どもへの積もり積もった憤りと、こうした腐敗した「左翼」を弾劾して闘ってきた日本の革命的左翼への信頼と連帯の意志を感じて、私は胸が熱くなった。

「彼らは言葉だけで考えている」

われわれとの討論の場で、ウクライナ左翼の人々は口々に言った。「一部の左翼は〝国際主義〟とか〝反帝国主義〟とかと言うけれど、それは言葉のうえだけだ」、「彼らはパレスチナ人民は支援するがウクライナ人民は支援しない。〝パレスチナ人民支援〟と言えば自分たちが左翼であることの証になると思って言っているにすぎない。実のところ彼らは、ウクライナ人民もパレスチナ人民も現に闘っている主体として認めていない」、と。

「それで左翼といえるのか！　マルクス主義者といえるのか！」という彼らのラディカルな弾劾と憤激を、私はびんびん感じた。とりわけ、ある人が次のように言ったことを、私は胸に刻んでいる――「西欧左翼の多くは、ウクライナが直面している物質的現実を知ろうともしない」、「唯物論ではない」。

「物質的現実」（マテリアル・リアリティ）と、その人は言った。日本のわれわれ自身は「物質的現実」ないし「唯物論的現実」という表現をよく用いるけれど、外国の左翼がそのように言うのを聞いたのは初めてだった。一般に米欧左翼は、論理実証のための「ファクト（事実）」を強調することはある。だがウクライナ左翼の人々が求めているのは、そういう冷たい客観主義的な「ファクト」ではない。生きて血の通った人間のいる「マテリアル・リアリティ」に出発しなければ、「マテリアリズム」＝唯物論ではなく観念論だと、まさにそのように彼らは自称「左翼」を弾劾していると、私はうけとめた。

かのイタリアのロッタ・コムニスタのことを、私は想起した。「ウクライナにはプロレタリアートとブルジョアジーの階級対立がある」、「プロレタリアートは祖国をもたない」のだから「労働者は国境を守ってはならない」――こうほざいたのが、彼らだった。ここには、侵略されて苦しみ戦っている生きた現実のプロレタリアがいない。このエセ「コムニスタ」は、「労働者階級が国境をこえて往来している帝国主義の時代には、民族問題は存在しない」とさえのたまった。ウクライナ人民が血を流して戦っている生きた現実からではなく、「民族問題」という規定があてはまるか否かという解釈から出発するのが彼らなのだ。まさに、生きた「物質的現実」のない観念論！

いま私は、ウクライナ左翼の人々が昨年十一月に発した「パレスチナ人民と連帯するウクライナからの手紙」という文書を思いおこしている（本誌第三三〇号所収）。そこには、イスラエルによるガザ人民大虐殺への怒りをこめて次のように書かれている。「われわれの連帯は、不正義にたいする怒りの場に、そしてわれわれ自身の深い痛みの場に発している」、「この体験的痛みと連帯の場から、われわれは呼びかける」と。ウクライナ左翼の人々のいう「物質的現実」とは、こうした「体験的痛みの場」だ。そこから出発するのが唯物論でありマルクス主義だと、彼らは言っているのだ。

そのように感じ考えるウクライナ左翼の人々は、ウクライナ人民の闘いに悪罵を浴びせる自称「左翼」にたいしてわれわれが展開してきた断固たるイデオロギー闘争を熱い共感をもってうけとめてくれているのだ。われわれは自称「左翼」の腐敗の根拠を、労働者・人民との共存共苦の欠如、誰が誰を侵略しているのかという実体構造の無視、マルクス主義への無知蒙昧、そしてスターリン主義との対決の放棄というように、根本的にえぐりだしてきた。このわれわれの声明や論文が、ウクライナの人々のマルクス主義者としての魂を揺さぶり鼓舞してきたのだ。私は、そう確信した。

ある女性は次のように言った。「ドグマティズムは、旧ソ連の左翼だけでなく今の西欧左翼も同じです」「現実は変わっているのに、彼らは同じ言葉で考えようとする」と。これにわれわれが「まったくそうだ」と応じると、この人はさらにつづけて言った。「彼らは現実とは無関係に言葉だけで考えている。しかし、『フォイエルバッハ・テーゼ 11』でマルクスは〝肝心なのは世界を解釈することではなく変革することだ〟と言った。それがマルクスの唯物論だと、私は思う」、と。

自称「左翼」の血も涙もないドグマティズムやスターリン主義者の客観主義とはまったくちがうマルクス主義が、彼ら自身がみずからの体験をつうじて血肉化してきた本物のマルクス主義が、彼らの内には脈うっていると、私は思った。

労働者階級の未来を共に切りひらかん！

マルクス主義をどう学んできたかということについても、われわれは彼らに尋ねた。

ある人は、『経済学＝哲学草稿』を読んで、〝労働の疎外〟という概念は大切だと思った」と言った。さらにこの人は言ったのだった。『資本論』では〝疎外〟という概念が使われてはいないけれど、『経済学＝哲学草稿』を書いたマルクスの精神は『資本論』につらぬかれていると、私は思います」と。私は感激し、心臓が高鳴った。遠く離れたウクライナの地に、日本のわれわれと心が通じあう人たちがいるのだ、と。

私は言った。「まさにその大切さを明らかにしたのが、われわれの運動の創始者である黒田寛一です」、「それを〝初期のマルクスは未熟だ〟といって否定したのが日本共産党であり、世界のスターリン主義者党なのです」と。

こうして彼らと話していると、初対面であるにもかかわらず、まるで旧知の仲間と話しているかのようにさえ感じる。何というべきか、話が通じるのだ。

ウクライナの人々は、スターリン主義ソ連邦のもとですさまじい抑圧と貧困に苦しみ、そのソ連邦が崩壊した後には米欧帝国主義の強欲の餌食とされ辛酸をなめさせられた。二つの地獄の体験をつうじて、彼らは、疎外されたみずからの解放の武器としてマルクス思想をつかみとったのだ。毎日ミサイルが飛んでくる生死の境の極限状況においてあくまで主体的に生きようとするかぎり、ひとは、まさに黒田さんのようにマルクス思想をわがものとしてうけとめ哲学しはじめるものなのだ。ほかならぬわれわれが拠り所としている黒田さんの革命的思想は、必ずや彼らをとらえるのだ。いや、実際そうたらしめるために、われわれは奮闘しなければならない。

戦争と貧困と圧政におおわれた暗黒の二十一世紀世界も、その深部では変革の胎動がうずきはじめているのだ。ぼやぼやしてはいられない。われわれは、あらためて己を革命的マルクス主義者として思想的・組織的に武装し、勇躍前進しようではないか。

本誌掲載シリーズ「闘うウクライナ人民と連帯して」

その1　パレスチナ人民と連帯するウクライナからの手紙
　　ウクライナ－パレスチナ連帯グループ
なぜウクライナ人はパレスチナ人を支援すべきなのか　ダリア・サブロワ

その2　ウクライナ・レジスタンスに敵対する左翼のデタラメな10の主張　オクサナ・ドゥチャク

その3　解決策を考えるなら、少なくとも原因を取り違えてはならない　ハンナ・ペレホーダ
（第三三〇号）

その4　新たな仲間たちとの出会い
　　――ウクライナ・レフトとの交流――　沢田　今日子

その5　感想――ウクライナ左翼の人々と対話して　高槻　聡一郎
（第三三一号）

闘うウクライナ人民と連帯して　その7

海を越えた階級的連帯
ウクライナの同志たちと語り合っていま思うこと

若原里菜

私は昨年、仲間たちと共にヨーロッパの諸都市を訪ね、ウクライナの左翼の人たちと交流してきました。

米欧によるウクライナ支援の縮小や停止によりロシアのウクライナ侵略戦争が長期化しつつあるなかで、いまウクライナの労働者たちは、ロシアの侵略に抗してたたかいつつ同時に労働運動をどのようにおしすすめているのか、そしてウクライナ左翼の人々はこうした闘いにどのようにかかわっているのか——これらについて論議することも、今回の交流の一つの大きな目的でした。そこで労働戦線担当の私が派遣団に加わることになりました。

私は、自己紹介だけは英語でしましたが、ほかの同志たちのように英語でスムースに会話することができません。だから、討論のその場でウクライナの方がたが英語で語っているその内容を、そのときに動く彼らの表情とともにただちに理解することはできませんでした。それでも、ウクライナの彼らとわが仲間の討論の最中に、大事なところでは仲間たちに「いまこう言ったよ！」と訳してもらったり、私の質問を訳して伝えてもらったりしました。また、現地では毎日、その日の活動を集約していましたし、帰国後も何度か総括会議をもちました。

そこでここでは、今回の交流で私が感じ考えたこと、そして今後私たちの交流をさらに深めていくために何をなすべきかについて書きたいと思います。

スターリン主義の否定

ウクライナ左翼の人々に直接お会いして話しあったのは、今回がもちろん初めてです。にもかかわらず、私たちが会った人々は、「初めて」と感じさせないほど心が通じ合う人々でした。ロシアの侵略開始いこう一年数ヵ月、いろんな方法で交流してきたからでしょう、会って握手をかわした途端に私たちは、まるで以前から友だちであったかのように一挙に打ち解けました。

彼らは言いました――「ウクライナを英雄視する人もいるけれど（あなたたちは違うでしょうから）、あなたたちにはウクライナのいいところも悪いところも何でも話します」と。

私たちが「われわれはソ連が社会主義ではないと思っている」と述べると、彼らはすかさず「そのとおり」と応じます。「一九五六年にソ連のタンクがハンガリー人民を押しつぶした」ことを話しかけると「ウンウン、チェコもあった」と言い、「ポーランド」と言いかけると「ウン、『連帯』ね」と応じます。

彼らは、〈プーチンの戦争〉を打ち砕くことなしには「戦争も抑圧も搾取も差別もない未来」を切り拓くことはできないと考えているのですが、このめざすべき未来とは「ソ連型社会主義ではない」ということがはっきりしているのです。

だから彼らは、「ソ連社会主義とはスターリン主義」といっても全然驚かない。私は、そのことに当初驚きを覚え、考えました。「そうか、彼らは『ソ連は労働者の母国』と信じた後にひっくり返った私とはちがった『反スターリン』の体験があるのだ」と。

私は少女時代に親から「ソ連は労働者と農民の国」と聞かされていて、「日本よりずっとよい国だ」と憧れていました。そのころ、彼らウクライナの人々や彼らの父母・祖父母たちは、スターリニストの圧政のもとで苦しんでいたのだとハッとしました。考えてみれば当たり前のようですが。しかし、そう考えたとき私は、自分自身の〝ハンガリア革命との出会い〟のとき、ソ連国内にいた人々のことをはたしてどれだけ考えていただろうかと思ったのです。

想えば、大学に入学したその年、私が安保沖縄闘争で民青のデモに出ていた時のことです。アメリカ大使館の近くで遭遇したヘルメットの集団が、こちらの隊列に向かって石を投げてきました。私は、「同じ『反対派』なのになぜ石をぶつけようとするのだろう。向こうの話も聞かなきゃ」と思い、Z（革マル派系全学連）の人に話を聞きました。

そして、そこで初めて「ハンガリア革命」のことを知りました。それは大きな衝撃で、私のなかでの「ソ連は社会主義」という神話が崩れ落ちました。日共＝民青の「反暴力」とか「統一と団結」というのは本当に嘘だ、欺瞞だとわかったのです。私はZの先輩から勧められた『カタロニア讃歌』をむさぼるように読みふけったことを想い出します。

そして思いました。今回出会ったウクライナの仲間たちの両親や祖父母たちは、何百万人が飢餓に追いこまれたホロドモールなどのスターリンの蛮行・悪行を語りついでいるのだろう。しかも、ウクライナがかつてソ連邦の一部であった時にその憤りを口にし抗議するのは、死を覚悟しなければできなかったのだ。

ウクライナ左翼の人たちは、年若い人も含めて、ソ連とウクライナの社会と歴史について、よく研究し勉強もしています。スターリンの強制的な農業集団化、ウクライナにたいする〝人為的飢饉〟、クリミア・タタール人の強制移住等々のスターリンの暴虐に苛まれてきた民族の苦悩を、追体験してきているのが、彼らなのです。そして彼らは、スターリンのやってきた悪行やスターリンの政策・政治をさして「スターリン主義」と言っています。

私たちは聞きました。ソ連型「社会主義」に幻想をもっていなかった彼らは、しかしなぜ多くのソ連スターリン主義圏の人々のように、ブルジョア国家のたれ流す「自由と民主主義」に憧れを抱かなかったのか、そしてなぜマルクス主義を学ぼうと思ったのか、マルクス主義との出会いはどうだったのか、と。

これにたいして彼らは言いました――「たしかにウクライナにおいては、共産主義・社会主義は保守反動とみなされてきた」と。けれども彼らは、様ざまなマルクス主義者や左翼の人たちとの出会いを経験してマルクス主義者や左翼であることが「親ソ」であることを意味しないことに気づいたのだそうです。

彼らは、資本主義への幻想を少しも抱いてはいません。彼らはソ連邦崩壊後のウクライナにおいて「ＩＭＦにめちゃくちゃにされ」旧ソ連以来の無償学費枠や年金なども切り捨てられてきたことを身をもって体験しています。だからでしょう、「資本主義はだめ、資本主義ではない未来をめざす」のだと確信をもって言いました。そのように確信をもって語る彼らは、「反スターリン」主義の筋金のはいったレフトの人たちだと思うのです。

「『疎外』の概念は大切」

彼らは、ソ連型「社会主義」を否定すると同時に、「教条主義はだめ」と言いました。彼らは、「ソ連の教科書はでたらめだった」と言います。ソ連型ニセ・マルクス主義をまったく信奉していないのです。そして、スターリン主義的ではないマルクスのマルクス主義を学んできているのです。これには正直言って驚きました。

さらにまた、すでに一緒に行った仲間たちが書いていますが、彼らのうちの一人は『経済学＝哲学草稿』を読み「『疎外』の概念は大切」と言いました。またこの方は、スターリニストがまったく顧みない

「フォイエルバッハ・テーゼ」をとりあげ、とりわけ「テーゼ・十一」の「肝腎なことは世界を変革すること」に着目していて、「大切なことは、解釈ではなく変革ですよね」と言っていました。

日本から遠く離れた欧州でこの言葉を聞いた時は、私たちはみな驚き、「私たちと完全に響き合うじゃない」と、ワクワクしました。

私たちは黒田さんから『経済学＝哲学草稿』の意義を教わりました。しかし、ウクライナには黒田さんはいない。にもかかわらず、彼らもまた「疎外」や「変革的実践」に着目している。これはなぜなのだろうと考えました。そして思いました。

ウクライナのマルクス主義者たちにとって「疎外」はたんなる理論問題ではない、まさしく実践の問題なのだ、と。

ソ連のニセ・社会主義のもとでの抑圧と収奪、資本主義が復活した亡国ロシアでの貧困と無権利・そしてウクライナは今やロシアの侵略を受けている。もしもこの戦争に敗北するならば、「プーチン皇帝を戴くロシア帝国」のなかに呑みこまれてしまう恐れさえある。だからこそ、いま彼らウクライナの左翼の人たちは、ロシアの侵略と戦っているのだ。

それと同時に彼らは、プロレタリアの自己疎外からの解放をめざして階級闘争をくりひろげているのだ。ウクライナ国内でも、労働組合は賃金や労働条件をめぐって団体交渉やストライキを敢行しているそうです。戦火のなかであっても労働者は働き生活したたかっているのです。

現に今みずからがおかれているどん底から這い出し生きるために、彼らはマルクスに必死に学んでいるのだ――戦争も抑圧も搾取もない未来をめざして。この彼らだからこそ、「疎外」も「変革」もわが身のこととして捉えられているのだ。

私はあらためて黒田さんの次の言葉を読み返し、そして噛みしめました。

「疎外態としての私のこの自覚は、同時に、私のどん底をつきぬけてプロレタリアの疎外された実存につきあたり、まじりあい、合一化された。これが私の出発点であった。それだけでなく、つねに私のあらゆる思索と実践がそこから生まれ、かつそこへ回帰していく原点でもあるのだ」と。（『読書のしかた』「終りの始めに」）

また私は、黒田さんが一九五六年のハンガリー動乱に直面して、ハンガリア人民とともに自分は「死んだのだ」そして「蘇った、死んで生きた」と書いていることを想起しました（『平和の創造とは何か』）。

そうだ。黒田さんの「疎外とは私」というのは、「自己疎外の究極的体現者」であり日々絶対無に突き落とされているプロレタリア、権力者によってどん底に突き落とされ呻吟させられ殺されている名もなき人民たち――この彼らと共に自分はあり、どこまでも生死をともにしどこまでも共にたたかう、というみずからの決意の宣言なのだ。

黒田さんは労働者同志に向けてのある学習会のなかで「疎外とはたんなる理論問題ではない」、「疎外論の問題」は、「たたかうプロレタリアの自分自身の問題」である、と言われていた。

プロレタリアという存在を「人間の自己疎外の究極的体現者」「人間の顔をした非人間」とし、このプロレタリアが階級的自覚をかちとり、プロレタリアートの自己解放をめざして自己を階級的に組織化してゆくこと、これをこそ黒田さんは追求してきた。このＫＫ思想の根底に流れているのは、「そんじょそこらのヒューマニズムではない」プロレタリア・ヒューマニズムなのだ。だからこそＫＫ思想は、戦火のもとで、貧困や飢餓のなかで、どん底のなかで呻吟する労働者人民の心と交わることができるのだと思います。

私は、ウクライナの左翼の人々と話しあうなかで、ＫＫ思想・わが反スタの思想と運動は、必ずや世界の労働者人民のなかに根をおろしていくということを、あらためて確信したのです。

私たちは彼らとの思想交流をさらに深めていきたい。そしてそのためには、私たち自身がもっともっと勉強しなければならないと痛感したのです。

マルクス主義の土着化とは

ロシア軍の攻撃が続くなかで、私たちと話しあったある人はウクライナの国内に戻っていく、ある人は異国で権力の取り締まりをかいくぐって活動するなど、彼らウクライナ左翼の人たちは、命がけの闘いを続けています。

雄々しく明るくたくましく進もうとしている彼らの姿を見て、私は、謀略粉砕・走狗解体の闘いをたたかってきた過去のわれわれの闘いにも思いをはせました。もちろん場所も時代も違うとはいえ、命を賭けてたたかったということでは同じだと思ったのです。

当時の私たちは、「共産主義者は、なぜ自らは経験できないであろう未来社会のために死ぬことができるのか」とみずからに問いかけました。また「斃れた仲間の遺志をいかに受け継ぐか」ということをめぐって、仲間たちと幾度も討論してきました。

つい昨日までともに活動していた仲間も含めて八十名近い同志たちが殺されたけれども、記憶のなかの同志たちは皆若く、そして明るい。「明日死ぬかもしれないから新しい下着を身につけていく」と語っていたわが戦士たちも、覚悟を決めた明るさがあった。そして私たちは、革命的左翼の仲間を肉体的に抹殺すれば組織をつぶせるとねらって謀略襲撃をくりかえした国家権力のもくろみを、一致団結した決死の闘いで打ち砕いてきたのです。

このような闘いを貫徹してきた私たちだからこそ、ウクライナ人民の命を賭けた戦いにたいして心から共感し連帯を表明できるのだと思います。

私たちが「闘うウクライナ人民との連帯」を言うときに、それは決してわれわれの運動路線や〈反帝国主義・反スターリン主義〉戦略の適用という問題から考えているわけではありません。それは、私たちの実存そのものにかかわる、いわばおなかの中からの連帯なのだ――このことを、戦火のなかで懸命に生きぬくウクライナの人々と話しあって、私たちは、自分自身の体で今回しみじみと感じたのです。

彼らは、西側「左翼」の連中の多くが「ウクライナ人を野蛮で戦争好きの民族と思っているんじゃないか」と憤激していました。そして、奴ら観念左翼を、ウクライナのことを何も知ろうともしない「西側中心主義者」であると弾劾していました。ウクライナの国も民族も丸ごと抹殺しようとしているプーチンの戦争にたいしてウクライナの地であるいは国外にあっても、ウクライナ人としての矜持をもって戦っているのが、ウクライナ・レフトの人々なのです。

彼らはウクライナの大地に根を張って、生き、闘い、生活している。まさしく彼らは、ウクライナという場所に内在しつつこれを超克せんとしているマルクス主義者であり、その意味で〝ウクライナに土着した真のマルクス主義の左翼〟だと、私は思ったのです。

そして私は、「マルクス主義の土着化」という黒田さんの追求を思い浮かべました。「土着」の〝根を張っている〟場所は日本とウクライナでは遠く離れ、彼らと私たちとは民族も文化も言葉も違う。にもかかわらず、こんなにも彼らのことを近しく思い自然に連帯感が沸きあがってくる。それは、マルクス主義の土着化という問題とつながっている、と私は思ったのです。

土着化したマルクス主義こそが真に普遍的なものとなる。言いかえれば、労働者階級がそこに実存するそれぞれの民族的特殊性を観念的に切り捨てるのではなく、この民族的特殊性を含みかつ止揚することによってはじめて「全世界のプロレタリアートの自己解放」をイデーとするマルクス主義は普遍性をもつのだ。

西欧のでたらめ「左翼」どもが、ウクライナの人々のレジスタンスを「民族主義」と罵り、逆に「大ロシア民族主義」を擁護していること。戦うウクライナ人民にたいして「祖国防衛主義」であるとか「古びた民族問題はお払い箱に」などと口を極めて非難しているくせに、みずからを「国際主義者」などとうそぶいていること。これらは、本当に許せない！　「プロレタリア国際主義（インターー・ナショナリズム）」という概念の基底にある「全と個の弁証法」などまったくわからないこんな観念的な卑劣漢は、みずからの反プロレタリア性を恥じてとっとと消え去るべきなのだ！

ウクライナの人たちと彼らの祖先は、ソ連邦崩壊後の資本主義の新自由主義的政策のもとでも、またソ連時代のスターリン主義の圧政のもとでも、抑圧と貧困に苛まれてきた。ウクライナの人々は、この民族が体験してきた悲しみ・怒りを、そして時には喜びもその身に沈殿させながら生きているのだ。このような民族独自の悲しみ・苦しみ、このことをかみしめ追体験し思索すること抜きには、真にインターナショナルな連帯はできないのだ。そして、この地域的民族性の〝枠〟を突破しうるのは、「人間の自己疎外の究極的体現者」である自己存在を自覚した労働者が階級的団結をうち鍛え、この疎外された自己存在からの解放をかちとらんとすること以外にはないのだ。

今回の交流をつうじて私たちがいま確かな手応えとして感じるのは、われわれ日本の反スターリン主義革命的左翼とウクライナ左翼の人たちとが、民族の枠を超え海を越えた連帯をさらに深めていくならば、悲惨な二十一世紀をきっと変革していくことができる、ということです。

「戦争も抑圧も搾取もない社会」をめざして

今回ウクライナの人々と語りあって、私は、わが反スターリン主義運動の歴史的使命を痛感しました。

私は、あのウクライナ・レフトの人たちが、そして彼らの同志や友人や家族がロシア軍に銃撃され拷問され陵辱されることを絶対に許せない。ロシアの侵略と戦う彼らウクライナ人民を決して孤立させてはならないと思う。私たち反スタ革命的左翼は、ウクライナ国内の・そしてかつてのソ連邦の国内の、抑圧され虐殺されている労働者人民の現在と過去の血叫びをも背負ってたたかっているのだ、という思いを強くしたのです。

全世界の労働者人民にたいして、ロシアによるウクライナ軍事侵略の世界史上の結節点的意味を明らかにし、これを打ち砕き未来を切り開く方向性をさしめすことは、わが革命的左翼の使命なのだと、私は決意を新たにしたのです。

プーチンは、ソ連邦の暴力装置であるKGBの一員であったが、今ではソ連型社会主義＝スターリニズムのイデオロギーとは無縁な徒輩であり、レーニンやボリシェビキに悪罵を投げかける「反共」の輩です。このプーチンが、ソ連邦が人民の怨嗟に包まれて自己崩壊したという事実には目をそむけ、「すべては西側諸国の陰謀」のせいだと強弁しつつ、旧ソ連の版図復活を画策してウクライナの強奪にのりだしている。スターリニスト的な兵士使い捨ての人海戦術やKGB仕込みの謀略的手口を用いながらウクライナ軍事侵略を強行しているこのプーチンは、〝今日版スターリン〟であると同時に二十一世紀に出現した〝ヒトラー〟なのだ。

だが、このプーチンがロシアの皇帝気取りで大統領の座に居座っていられるのは、いったいなぜなのか。ロシア軍の死者はいまも増え続け、反戦デモは封じこめられているもののロシア人民のなかに厭戦気分が高まっている。熱烈なプーチン支持者はロシア国民の一〇％以下だとも言われている。にもかかわらず、〝プーチンは好きではないが、替わりがいないかぎりさしあたりプーチンでよい〟というプーチンの消極的支持者は少なくないという。これらのロシア人民は、FSB強権型国家体制のもとで閉塞感を感じながらも、「国民の安定と安全を保証してくれる限り独裁は容認しよう」といういわば暗黙の〝契約〟をかわして、なおも忍従を決めこんでいるかのようである。

「プーチンやシロビキどもにだまされるな！　いまこそFSB専制支配体制を打ち倒せ！」と、われわれはロシア人民に向かって訴えかけなければならない。だが同時に、この〝権力者にだまされない・依拠しない・エセな「契約」をしない〟ような主体性を育むことをロシア人民に促していくためには、私たちはどのような働きかけをおこなっていくべきか。

一九一七年にはロシア・プロレタリア革命を実現し、全世界の虐げられた労働者人民を限りなく鼓舞したロシアの労働者人民。彼らにあのロシア革命の精神を呼び覚ますためには、われわれは何を彼らに働きかけていくべきか。こうしたことを私たちは掘りさげていかなければならないと、私は強く思ったのです。

ロシアは、歴史的に幾度も他民族・他国の侵略を受け、たびたび領土を削られては取り返すなどの戦乱をくりかえしてきた。その流血と屈辱の歴史的経験もあって、ロシアの人民は「安定」を求めて「皇帝」的な強い権力者に従うという傾向があるそうです。プーチン支持はそのゆえなのか？

しかもこのことは、永い歴史のなかで培われてきたロシアの精神風土とも関係しているのではないか。私は、ロシア革命以前に書かれたドストエフスキーの小説『悪霊』などを思いだしました。近代ヨーロッパのような自我の確立を経験していないロシア民衆によるロシア正教への〝メシア主義的〟な信仰と帰依。インテリゲンツィアの「自虐的」ともいえるニヒリスティックで熱情的な自己犠牲。西欧への優越感とコンプレックスの入り交じったある種の「スラブ民族」主義……。

こういうことをも切開しのりこえようとしてきたのが、わが運動の創始者・黒田さんでした。黒田さんは、やはり近代的自我が未確立であった日本において、ブルジョア的な自我の確立ではなくプロレタリア的主体性、共産主義者としての主体性をいかに確立するかを、追求してきた。

そして、一九五六年十月のハンガリー革命に先立つ同年二月の「スターリン批判」にたいして、黒田さんは、それまでに築きあげてきた主体性論を武器にスターリンへの個人崇拝の問題を、ソ連共産党組織そのものの欠陥としてとらえ、またその根拠としてロシアの社会状況と精神風土の問題をも切開してきたのです。「個人崇拝が発生する主体的な根拠は、個人意識が個人意識として確立していないという精神的風土にある」と（『スターリン主義批判の基礎』）。そしてそれゆえにまた、個人崇拝をのりこえるには、「ロシアの精神的風土と伝統の自己批判」「ロシアの過去との断絶」がなされなければならない、と。

こうした黒田さんの追求に学びつつ、私たちは、プロレタリアの主体性という問題とあらためて対決しなければならない。こうした私たち自身の格闘を主体的根拠としてはじめて、ロシアの労働者人民が「マフィア国家」のごとき今日のロシアFSB強権型国家を打倒し真の労働者国家の建設へと進むその道を照らすことができるのだと、私は思ったのです。

そしてもうひとつ私が思ったことは、今日のロシアによるウクライナ侵略という暴挙の階級的・歴史的意味を明らかにすることです。これによってはじめて全世界の労働者階級が「ウクライナ戦争の問題は同時に自分自身の問題だ」ということを自覚し決起する道も拓かれるはずだと思ったのです。

二十一世紀の今日の世界がどのような世界であるか――その意味づけは、私たちマルクス主義者がみずからのバックボーンとしている「唯物史観」にもとづいてのみ明らかになると思います。そしてこれをどのように根底から覆すかということは、〈反帝国主義・反スターリン主義〉世界革命戦略に立脚してはじめて、明らかになると思うのです。

一八四八年の『共産党宣言』で本質的に切り開かれ、一九一七年のロシア・プロレタリア革命によって現実的に画された「現代」への転換。それは、プロレタリア世界革命の序幕であり、輝かしい現代史の幕開けであった。にもかかわらず、世界的規模でのスターリニストたちの戦略的破綻・各国革命の遅延、孤立化した革命ロシアにおけるスターリンによる一国社会主義建設の自己目的化と各国革命への裏切り……スターリン主義者どもは、革命を簒奪し、世界革命完遂への過渡期を歪めてしまったのだ。そして一九九一年のソ連邦崩壊・資本主義ロシアの復活という歴史の大逆転。

今日、この歴史の逆転を再逆転することは、わが革命的左翼の奮闘にかかっていると思います。ソ連型「社会主義」のまやかしは何か、このスターリン主義をいかにのりこえるべきなのか、このことを明らかにできるのが、われわれです。スターリン主義者の二段階戦略や一国革命方式の問題、一国社会主義の定式化や平和共存の戦略化の問題などを、われわれは批判しつくしてきた。また、スターリン的分配法則にもとづく剰余労働の収奪、この資本主義とは異なるスターリニスト官僚による新たな収奪の方式の反人民性を、ソ連の政治経済構造を分析しつつ明らかにしてきた。

なぜソ連邦が崩壊したのか、その虚偽性と反人民性はどこにあったのかを総括してはじめて、「資本主義でない未来」「戦争も抑圧も搾取も差別もない未来」、すなわち真の社会主義・共産主義を切り開くことができるのだと思います。「二十世紀における共産主義の壮大な実験とその失敗」などというブルジョア支配階級の悪宣伝を打ち砕き、真実の共産主義社会をめざすためには、依然としてスターリン主義の超克が必要だと思うのです。そして、このことを全世界の労働者に訴えていくのは、まさしく今だ、と私は思うのです。

ソ連邦やソ連圏の内部でスターリニスト官僚によって苦しめられてきたウクライナや東欧諸国において、左翼や労働組合の担い手たちが中心となり、プーチンのウクライナ侵略に反対する運動にとりくんでいます。彼らたちと、ぜひこのスターリン主義の超克をめぐっても論議していきたいと思います。

マスコミはほとんど報じませんが、侵略二年の今年の二月には、欧州の全土で「プトラー（プーチン＋ヒトラー）の暴虐反対」「一九五六年・二〇二二年、われわれの敵は同じだ」などを掲げた労働者たちの大規模なデモがくりひろげられました。私たちと討論したウクライナの人たちも、きっとこのデモの組織化に奮闘したのにちがいありません。

いま世界の闘う労働者人民は私たちを待っています。今日ほど、反スターリン主義革命的左翼の真価が問われるときはない。われわれは、帝国主義とともにスターリン主義を打倒するために、ウクライナ反戦闘争をおしすすめるただなかで、スターリン主義の問題をドシドシと討論して「反スターリン主義」の思想と運動を、日本の地にとどまらず、東欧へアジアへ、全世界へおしひろげていかねばならない、と強く思います。いまこそわれわれ日本の反スターリン主義革命的左翼自身が世界に大きくはばたくために、新たな飛躍をかちとらねばならないと思うのです。

国外に行くのが初めての私でしたが、仲間たちと一緒だったので、意外に不安も不自由もありませんでした。本当に仲間たちに感謝です。

私は英語も大急ぎで少しは勉強しましたが、実はウクライナ語を密かにちょっとだけれど勉強してみました。ウクライナの人と仲良くなるためにはウクライナ語で挨拶ぐらいしたいと思ったからです。

別れに際して、私たち一人一人が別れの言葉を述べ私の番になったとき、ほとんど英語の会話に入らなかった私が何を言うのかなと思ったのでしょう、彼らが私を見ました。私は習い覚えた数少ないウクライナ語の中から「Дуже дякую（ドゥージェ・ジャークユー／どうもありがとう）」という言葉を思い切って発してみました。精悍な彼らの顔が一瞬にしてニッコリと花のようにほころびました。そのフワッと空気が動いたような瞬間を、私は生涯忘れることはないでしょう。

私たちが語りあった素晴らしい仲間たち――彼ら彼女らの無事を、私は祈っています。海を越えた連帯を世界に広げ、戦争も抑圧も搾取も差別もない世界を切り拓くためにともに闘い抜きたいと思います。

「異次元」金融緩和〝脱却〟にあがく植田・日銀

奥入瀬　清

二〇二四年四月二十五～二十六日の金融政策決定会合において日本銀行が「緩和的な金融環境の継続」をうちだし、しかも総裁・植田和男が「基調的な物価上昇率に、円安は大きな影響を与えてはいない」と言及して〝円安対策としての利上げはしない〟という姿勢をおしだした。このことを引き金として、〝投機マネー〟が円売り・ドル買いに殺到し円安が一気に加速、四月二十九日には一ドル＝一六〇円台にまで急落した。

三十四年ぶりとなるこの歴史的な円安水準を突きつけられた岸田政府・日銀は、大慌てで大規模な円買い・ドル売りの〝覆面〟介入を二度にわたっておこない、こうして円相場はいったんは一ドル＝一五一円台まで上昇したのであったが、その後はふたたびジリジリと円安が進んでいる（五月八日時点では一ドル＝一五五円台に）。

合計八兆円を超える巨額の資金を投入したとみられる政府・日銀のこの為替介入〔五月末に財務省は、九・七兆円に及ぶ史上最大規模の円買い・ドル売り介入であったことを公表〕は、円安の大きな要因となっている日米の金利差が縮まらない現状においては、所詮は一時しのぎでしかない。アメリカFRB(連邦準備制度理事会)が五月一日にインフレの収束が進んでいないとして政策金利の据え置き(五・二五〜五・五%)を決め、議長パウエルが「利下げは遠いた」とほのめかしているなかでは、日銀が政策金利(マイナス金利を解除したとはいえわずか〇〜〇・一%という超低率)の引き上げを進めないかぎり、しかも長期金利をも抑えこむための国債買い入れをなお続けているかぎり、円安の大きな流れは変わるはずもないからである。植田・日銀は、三月の金融政策決定会合において「異次元」金融緩和政策(註1)から〝脱却〟して「普通の金融政策」に戻すことを宣言しながらも、金利の急騰を怖れて「緩和的な金融環境の継続」の姿勢をなおも護持しつづけているのである。

「アベノミクス・第一の矢」=「異次元」金融緩和政策がもたらした〝負の遺産〟(後述)を抱えこんでしまっているがゆえに、ただただ金利の急騰を招くことなく金融政策を徐々に〝正常化〟することを思い描き、〝石橋を叩いて渡る〟姿勢をおしだしつづけることによって、〝投機マネー〟の跳梁に翻弄され右往左往しているのが植田・日銀にほかならないのだ。

〔「普通の金融政策」への〝スローペースでの正常化〟という基本姿勢を是認して植田を日銀総裁に据えた首相・岸田文雄はいま、〝学者の見識にもとづく金融政策〟とでもいうべき姿勢を固持して、急激な円安に直面しても機動的に対応しようとしない植田・日銀へのいらだちを強めている。岸田は五月七日には植田を呼びつけ、円安に対応する姿勢をしめすべきことをあからさまにねじこんだのであった。〕

1 「普通の金融政策」への回帰の空疎な宣言

今二四春闘の大手集中回答期間(三月中旬)の直後にもたれた日銀金融政策決定会合(三月十八〜十九日)、ここにおいて植田・日銀は、今春闘の「連合」第一次集計(大手集中回答)をもって「賃金と物価の好循環の強まり」を「確認」したと牽強附会に言いなし、「マイナス金利の解除」だけではなく、「異次元」の「量的・質的」金融緩和政策のすべてから〝脱却〟し「普通の金融政策」に戻すことを宣言したのであった。

①短期金利　二〇一六年から続けてきたマイナス金利を解除し、政策金利を〇〜〇・一%に引き上げ、〝金利の復活〟をはかること。

②長期金利　国債買い入れによって十年物国債金利をゼロ%程度に抑えこんできた「イールドカーブ・コントロール(YCC)」政策の終了。

③「質的」緩和と銘うって買いつづけてきたETF(上場投資信託)やJ‐REIT(不動産投資信託)の新規買い入れの停止。

だが同時に植田は、「異次元緩和の遺産は残りつづける」ので「当面、緩和的な金融環境は継続する」と語り、毎月六兆円規模の国債買い入れは続けることを表明したのであった。「異次元」金融緩和政策からの転換を宣言しながらも、現実には「異次元」緩和政策の〝負の遺産〟を抱えこみ、金利上昇とりわけ長期金利の急騰を怖れているがゆえに、政策金利の引き上げをスローペースで実施するだけではなく、長期金利の抑制にかかわる国債買い入れについてもこれまでと同規模で続けることをうちだし、〝脱却〟を骨抜き化してしまったのが植田・日銀なのである。

植田のいう「異次元緩和の遺産」とは、⑴長期金利コントロールのために大規模な国債買い入れを続けてきたがゆえに、いまや国債発行残高の五四%、五八一兆円を日銀が保有するに至っていること、⑵ETFの日銀保有残高も時価約七一兆円に達し、いまや日銀が日本の主要企業の筆頭株主になるという異常事態がつくりだされていること(株価が下落しないように売却するには二三〇年かかるとまで言われている)、⑶そもそも日銀が国債を買いつづけることを前提にして国債の大量発行に依拠した財政支出拡大政策をとりつづけてきたこと、この半ば公然たる「財政ファイナンス」を長期にわたって強行してきたがゆえに、政府債務が一二八六兆円、実にGDPの二・六倍にまで膨れあがっていること、などを指しているといえる。

要するに、長期金利が急騰（国債価格が下落）するならば、国家財政における巨額の国債利払い費を一挙に膨張させ国家財政を破綻的危機に追いこむとともに、国債を大量に保有する日銀の信用＝円通貨そのものの信認をも揺るがし、円の暴落をもたらしかねない、というまさに〝日本発金融恐慌の芽〟を、「異次元」金融緩和政策の〝負の遺産〟として抱えこんでしまっているのが岸田政権であり植田・日銀なのだ。まさしくこのゆえに、〝投機マネー〟が仕掛けている円売り・ドル買い攻勢によっていっそう進む円安に追いつめられながらも、マイナス金利を解除しただけで追加利上げには踏みきれず、〝石橋を叩いてもなかなか渡らない〟姿勢をとりつづけているのが、植田・日銀なのである。

2　「異次元」緩和脱却に日本経済〝復活〟を懸ける政府・独占資本家

三月の日銀金融政策決定会合において植田・日銀に政策転換を急がせたのが、岸田政権であった。一年をかけて「異次元」金融緩和政策からの脱却をめざしてきた植田・日銀は、マイナス金利解除を四月の金融政策決定会合においてうちだそうとしていたという。これを岸田が、今春闘の山場と連動させて「デフレ完全脱却」＝「アベノミクス」からの転換として大々的におしだすことを企み、三月に前倒しすることを植田・日銀におしこんだのである。

物価高騰とヤミ献金疑獄にたいする労働者・人民の怒りをかわして政権を維持することに血まなことなっている岸田は、「連合」芳野指導部を抱きこんで今二四春闘を「デフレ完全脱却」と「賃金と物価の好循環」の実現を謳いあげる〝一大イベント〟に仕立てあげることをもくろみ、また加速する円安に歯止めをかけるためにも、〝派閥解体〟で安倍派が弱体化しているこのすきに「アベノミクス」なかんずく「異次元」金融緩和政策からの〝脱却〟宣言を、植田・日銀に前倒しさせたわけなのだ。

「連合」芳野指導部を深々と抱きこんだ岸田政権と十倉・経団連は、「満額（以上）の賃上げラッシュ」を喧伝し、〈政・労・使〉が声をそろえて〝「賃上げの勢いを中小企業に波及させる」、そのために「生産性向上」をすすめ「労務費の価格転嫁」をはかれ、「賃金と物価の好循環」だ〟と叫びたてたのであった。」

植田・日銀の政策転換の発表をうけて岸田は、「異次元緩和について新たな段階へ踏みだす」と同時に「緩和的な金融環境を維持するのは適切」だ、という見解を披瀝し、「アベノミクス」と一線を画す政策転換に踏みだしたことを称賛してみせたのであった。

こうして岸田政権と独占資本家どもはいま、日本経済の〝成長力復活の新たなステージ〟の幕が開けた、などと騒ぎたてている。この〝新たなステージ〟宣言は、GDPにおいてドイツに逆転され、いまや〝衰退途上国〟のレッテルさえ貼られている日本帝国主義経済の延命・再浮上を賭して、日本政府・独占ブルジョアジーが発した日本の労働者階級・人民にたいする〝宣戦布告〟にほかならない。まさにいま彼らは、「DX、GXを推進せよ」、「〝衰退産業〟から成長産業への〝人・モノ・カネ〟の移動をはかれ」と号令し、労働者・人民にいっせいに襲いかかってきているのだ。

日米首脳会談において、アメリカ帝国主義バイデン政権に「世界秩序を維持することに疲れたアメリカを日本が支える」「日米が世界をリードする」などと申しでてみせた岸田政権はいま、日米安保同盟を中国主敵のグローバル同盟として強化することに突進している。そしてそのためにも――赤字財政のもとで増税を強行すると同時に濫発する赤字国債への依存をますます深めながら――巨額の国家資金を投入して軍需産業の育成・強化や半導体産業の育成をはかり、また日本の産業構造・事業構造のデジタル化に狂奔しているのである。まさに「経済安全保障」を組み入れた「成長」戦略による日本帝国主義の復活なるものを願望し、労働者・人民にいっそうの犠牲を強要しつつ、あがいているのが岸田政権なのだ。この政権は、円安の要因は日米金利差だけにあるのではなく、「日本の国力・競争力」が低下したことが根本問題であり、この打開のために「日本の生産性」をあげ国際競争力を強化する必要があると叫びたてている。「リスキリング・円滑な労働移動・日本型職務給」による「構造的賃上げ」を促進する政策なるものを、経済対策の重要な柱としておしだし、独占資本家どもに〝デジタル・リストラ〟の徹底を呼びかけているのである。

そして独占資本家どもは、〝人手不足〟を叫びつつ労働者に〝デジタル・リストラ〟の攻撃をふりおろし、リスキリングによる転職を迫っているのだ。

日銀の政策転換に際して、経団連会長・十倉雅和は、〝金利の復活〟を強調して「これからが正念場。カンフル剤でぬるま湯の時代が終った」と言い放ち、「強い経済」への「モード転換」を叫びたてたのであった。独占資本家どもは、円安・株価つり上げ策に支えられて過去最高益を更新しつづけてきていながら、ゼロ金利の「ぬるま湯」が〝ゾンビ企業〟を延命させ日本の経済成長を妨げてきたとほざき、中小企業の再編・淘汰をおしすすめ「成長分野」への労働移動をはかれ、と号令しているのである。「ゾンビ企業のために価格転嫁が進まない。賃上げし価格転嫁できる〝優良企業〟の足を引っ張っている」、「企業を倒産させないというセーフティーネット政策が問題だ。倒産しても失業者を再教育・リスキリングして転職をはかる北欧型のセーフティーネットにせよ」、「開業率・廃業率が一〇％程度が健全だ。新陳代謝がすすむ。日本は廃業率が低く停滞している」などなどとわめきつつ。（註2）

3　「アベノミクス」がもたらした剥きだしの階級分裂

植田・日銀が「異次元」金融緩和政策からの〝脱却〟を宣言しながらも「緩和的な金融環境」を維持しつづけているがゆえにかえって円安を加速させ、この円安による〝コスト増〟を資本家どもが「価格転嫁」する動きを強めることによって、いま諸物価がさらに高騰して労働者・人民に襲いかかっている。政府の統計でさえ実質賃金の低下が二年以上も続いており、労働者たちはいよいよ困窮を深めているのだ。

この現実は、なによりも、安倍晋三・菅義偉・岸田の歴代政権が二〇一三年から十年余にわたっておしすすめてきた「アベノミクス」諸政策の反人民性を、照らしだしているといってよい。このかんの世界的な物価高騰は、コロナ・パンデミックによる供給網の寸断とこのパンデミック恐慌をのりきるために帝国主義各国がまきちらした膨大な〝緩和資金〟の滞留、そしてロシアのウクライナ侵略を引き金とした原油やLNG、食料の高騰などが複合してもたらされたのであった。日本のばあいには、これに「アベノミクス」の「異次元」金融緩和政策による円安が重なることによって、物価高騰にいっそう拍車がかけられてきたのである。

日米金利差の拡大に群がる投機資金の動きが円安を昂進し、この円安が、日本が輸入に頼るエネルギーや食料などの輸入価格をさらにつり上げ、このことが貿易赤字の拡大にはねかえってさらなる円安を呼ぶ、という蟻地獄のような事態をもたらしてきた元凶こそは、「異次元」金融緩和政策にほかならないのである。

「アベノミクス」の十年余とは、第二次安倍政権が黒田・日銀を「財政ファイナンス」の担い手に組みこむことを出発点とし基礎として、日銀が「異次元」の「量的・質的」金融緩和政策を推進して株価つり上げ・円安誘導をはかると同時に、安倍・菅・岸田の歴代自民党政権が――「日銀は政府の子会社だ」(安倍)とうそぶきつつ――赤字国債濫発による公共事業などの大規模な「経済対策」を毎年くりかえすというかたちで、半ば公然と財政ファイナンスにもとづく「需要」創出政策をとりつづけてきた十年余にほかならない。資本家どもの徹底的な賃金抑制のゆえに個人消費が伸びず経済停滞が続くなかでも、「成長」の仮象をつくりだすために株式・金融資産バブルや東京オリンピック特需による建設ラッシュなどをつくりだすことによって、そしてパンデミック恐慌をのりきるために一切の犠牲を労働者・人民に転嫁することに狂奔した資本家どもを全面的に支えることによって、一握りの独占資本家・富裕層を潤す他方で労働者をますます低賃金と長時間労働の困窮地獄に突き落としてきたのがこの十年余であったのだ。

このかんに長期債務（国債）は三五〇兆円ほども増え、一〇〇〇兆円超にまで膨れあがってきた。しかしこれだけ「経済対策」をくりひろげても、GDPの六割を占めるとされる個人消費は伸びてこなかった。〝人手不足〟が叫ばれても、労働者の賃金は一部のIT技術労働者などを除いて徹底的に抑制されてきたのである。統計数値上でも実質賃金はアベノミクスの十年余のあいだ、ほとんど増えていないのだ。

今、低賃金で物価高騰に苦しむ多くの労働者・人民を愚弄するかのように、株価がバブル期を超えて四万円を突破し、円相場もまた一ドル＝一六〇円を超え、この円安・株高に支えられて独占体諸企業は企業利益を膨らませつづけている。東京の新築マンション価格もバブル期を超え、低金利・円安で内外の富裕層が投機目的で買いあさっている。

まさしく「アベノミクス」の十年余は、日本の国家財政・金融構造を変質させ危機を深めつつ、〈貧富の差〉の拡大による社会の二極分化を一気におしすすめてきたのであり、資本家と賃労働者との〈階級分裂〉を文字どおり剥きだしにしてきた十年余にほかならないのである。

いま岸田政権は、「アベノミクス」の「異次元」金融緩和政策からの〝脱却〟をうちだす他方で、巨額の国家資金を投入して半導体生産や軍需産業の育成・強化に突進している。このゆえに、いよいよ困窮を深める労働者・人民にたいして、大増税・社会保険料の引き上げと社会保障削減などの諸攻撃を次々とふりおろしてきているのだ。岸田ネオ・ファシズム政権のこうした諸攻撃をうちくだく闘いを、既成労働運動指導部の腐敗をのりこえ、職場生産点から断固として創造しようではないか。

註1　二〇一三年四月に「二年で消費者物価二％の上昇」という政策目標を掲げて開始された黒田・日銀の「異次元の量的・質的」金融緩和政策は、政策金利

（短期金利）をゼロ％に抑制することに加えて、大量の国債（当初は毎年五〇兆円、その後毎年八〇兆円に増加）を日銀が買い入れマネタリーベース（日銀が供給する通貨量＝市中の現金と日銀当座預金残高の合計）を増やすこと（量的緩和）を基軸とし、ＥＴＦ（株式投資信託）をも大規模に買いこむ（質的緩和）というものとして開始された。

「二年で消費者物価二％の上昇」という「政策目標」がなんら実現されず行き詰まるなかで、黒田・日銀は二〇一六年二月に日銀当座預金残高の一部をマイナス〇・一％にするマイナス金利政策の導入にふみきり、さらに同年九月からは短期金利だけではなく長期金利をもゼロ％程度にコントロールするというＹＣＣと銘うった政策をとりはじめ、今日まで続けてきたのである。中央銀行が長期金利の指標となる十年物国債を大量に買い入れることによって長期金利をもゼロ％程度にコントロールするというこの政策は、世界の主要中央銀行がとったことのない異例のものであるだけではなく、世界の機関投資家やヘッジファンドが巨額の資金を投じて繰りひろげている投機マネーゲームの制御をはかるという無謀な企み以外のなにものでもなかった。いまＹＣＣの終了を宣言しながらも、長期金利の上昇におびえて毎月六兆円規模で国債買い取りを続けることを〝約束〟し、そうすることによっていっそうの円安の動きをひきだしてさえいるわけなのである。

註2　本業の利益で借入金の利払いができない企業が「ゾンビ企業」とされ、二二年度の調査では五六万社にのぼるという。〝金利の復活〟で借入金利が〇・一％上昇すると、さらに七万社が増えて六三万社に達する、と試算されている。

（二〇二四年五月八日）

〔本誌掲載の関連論文〕

・米・中激突下で腐蝕を極める現代世界経済――〈脱グローバル化〉をめぐるせめぎ合い　浦幌　静（第三二九号）

・〈脱グローバル化〉への構造的激変――インフレに揺れ危機を深める現代世界経済　篠路　憂（第三二三号）

・〈パンデミック恐慌〉下で腐朽を極める現代世界経済　茨戸　薫（第三一三号）

・ＭＭＴ――通貨増発による〈貧困と格差〉打開の幻夢　喜茂別芳美（第三〇四号）

JP労組第17回全国大会への呼びかけ

二四春闘妥結の不承認を！「将来ビジョン」の策定を許すな

賃金抑制・大合理化に全面協力する労組本部弾劾！

郵政労働者委員会

すべての郵政労働者のみなさん！　われわれ郵政労働者は、経営陣による大幅人員削減と悪辣な賃金抑制攻撃によって極限的な労働強化と貧窮生活を強いられている。これを打ち砕くために、第十七回全国大会(六月二十・二十一日)において、たたかう方針を確立しようではないか！

経営陣は、五月十五日に中期経営計画の「見直し」と称して「JPビジョン2025プラス」(以下「2025プラス」)を発表した。このなかで経営陣は、とりわけ日本郵便の「黒字体質への転換」を叫びたて、郵政労働者に新たな一大リストラ・合理化攻撃を振りおろすことを明らかにしている。断じて許すな！

だが、JP労組本部は、「事業危機」をあおりたてて組合員を欺瞞し、「事業ビジョン」や「将来ビジョン」への合意をとりつけようとしている。これこそ一大攻撃を全面的に受け入れることの宣言ではないか。郵政労働者にたいする犠牲転嫁や搾取を強化する会社の狗として経営陣に全面協力する本部を弾劾し、今定期大会を一大リストラ攻撃に反対する総決起の場につくりかえよう！

・「JPビジョン2025プラス」にもとづく経営陣の大リストラ攻撃粉砕！
・「一般職と地域基幹職の統合」による賃金の低位平準化を許すな！
・定期昇給制度の廃止反対！　人事給与制度の改悪反対！
・住居・扶養手当などの生活・業務関連手当のはく奪を許すな！
・ヤマトとの「業務提携」による極限的な労働強化に反対しよう！
・プーチン・ロシアのウクライナ侵略を許すな！
・イスラエルによるガザ人民ジェノサイドを許すな！

組合員に生活破壊を強いる超低額妥結の承認を許すな

本部は二四春闘において、低賃金にあえぐ郵政労働者の要求を踏みにじって正社員ひとりあたり五一〇〇円という超低額のベースアップを回答した経営陣にたいして、まともな交渉もせずこれを受け入れた。しかも一律の賃上げではなく、ほとんどの労働者は「傾斜配分」によって二八〇〇円（〇・九％）ぽっちに抑えこまれたのだ。経営陣は、残りの多くの賃上げ原資を一般職や若年層への初任賃金の引き上げに振り向け、「一般職と地域基幹職の統合」のために「賃金カーブ」の手直しをおこなった。これを受け入れたのが本部だ。しかも最も物価高の影響を受けている非正規雇用労働者が九年連続の時間給引き上げゼロを経営陣から押しつけられても、なにひとつ交渉もせず受け入れたのが本部なのだ。実に許しがたいではないか！

このように経営陣による賃金抑制攻撃がやすやす

と貫徹されたのは、本部が組合員からつきあげられて掲げたベースアップ一〇〇〇〇円や一時金四・五ヵ月などの要求獲得をはなから放棄して、経営陣と「事業の持続性」をめぐって「人事・給与制度見直し」や「料金値上げ」などの労使協議に埋没してきたからだ。

本部は、定期昇給（二％）などを含めて「物価上昇を上回るトータル四％の賃金改善」が実現できたかのように組合員を欺瞞している。ふざけるな！

「連合」メーデーでたたかう郵政労働者（４月27日、東京・代々木公園）

定期昇給や特別一時金はベースアップでも何でもない！　彼ら労働貴族どもは、二四春闘後も続く物価高のもとで食費を切り詰め生活苦にあえぐ組合員の姿は眼中にないのだ。

本部は、大会議案で「想定以上の経営状況の悪化によりベアは要求水準に届かなかった」などと居直り、〝賃上げして欲しければ収益拡大のために生産性向上に励め〟と組合員に号令している。ふざけるな！　労働者の賃上げは、労働者が団結し労働組合の闘いによって勝ちとるものなのだ。そのスローガンは〈大幅一律賃上げ獲得！〉以外にありえない。全国の職場で燃えあがる春闘妥結弾劾の声を大会に結集し、組合員に生活破壊を強いる二四春闘妥結の不承認を勝ちとろう！

「２０２５プラス」にもとづく新たな犠牲転嫁を許すな

経営陣はヤマトとの「業務提携」で二月にはクロネコゆうメールを、五月にはクロネコゆうパケット〈ステップ２〉の委託配達を強行した。これによって業務量が飛躍的に増加した。郵便内務・郵便外務労働者は、人員不足のもとで文字通りの極限的な労働強化を強いられている。とりわけ集配労働者は、超勤が前提の〝通し勤務〟と称する朝から夜までの勤務を強いられたり、区・班・部を越えた相互応援に駆りたてられている。さらにゆうパケットの、八月から来年二月までの段階的な委託配達の増大が追い打ちをかけようとしているのだ。

今また経営陣は「2025プラス」で不動産事業、DXなどのIT、郵便物流基盤整備に郵政労働者から搾り取った四〇〇〇億円もの資金を湯水のごとく注ぎこみ、リストラ・合理化施策を断行しようとしている。郵便・物流事業では、地域区分局を小荷物中心に再編すると同時に、集配部門では二輪と四輪を組み合わせてフル回転させる「新たな集配体制」の確立をおしすすめている。郵便局窓口では、部会を越えた人員配置や、「窓口営業時間の弾力化」によって社員を営業活動に駆りたてこき使おうというのだ。「2025プラス」とは、郵政労働者にさらなる首切り・配転、労働強化を強いるもの以外のなにものでもない。

こうした一大攻撃にたいして、現場の人員不足を無視して、むしろ「将来ビジョン」「事業ビジョン」を掲げて経営陣に全面協力しているのが本部労働貴族どもだ。その内実は、業務・営業体制の再構築や「要員配置のあり方」を労組の側から提言するものだ。それは労働組合が組合員を生産性向上に駆りたて、自分で自分（組合員）の首を絞めるものでしかないのだ。

まさに「労使運命共同体思想」に骨の髄まで染まっているのが本部労働貴族どもだ。彼ら本部は、リストラ・合理化施策を進んで受け入れる「事業ビジョンの具現化」を組合運動の柱とする方針を決定しようとしているのだ。郵政労働者はこれを絶対に許してはならない。本部を弾劾しのりこえ、「2025プラス」にもとづく首切り・配転、労働強化の攻撃や営業活動強要に反対する闘いを職場から巻きおこそう！

人事・給与制度の大改悪を阻止しよう！

郵政経営陣は、「2025プラス」でうちだした「事業戦略」を実現するために、「DXの推進」と称して労働過程への新たな技術諸形態の導入による作業の〝簡素化〟を進め、労働者を部・局・事業・会社を越えて将棋の駒のように働かせようとしている。

同時にこうした事業・業務再編に見合うかたちで、経営陣は人事給与制度の大改悪をうちおろしてきている。彼らは、作業が簡単なものになり一般職と地域基幹職の作業には差がなくなったとみなして、職種の統合を一挙に進めようとしているのだ。経営陣は、「郵政型職務給」と称して住居・扶養・調整手当などの生活関連手当のはく奪、定期昇給制度の廃止や退職手当制度の改悪を目論んでいるのだ。こうした策動を断じて許してはならない。

本部は、「職種統合」を「地域基幹職の賃金水準を引き下げずに実現する方策」とぬかして、低位平準化を進んで受け入れようというのだ。そして住居・扶養・調整手当などの生活関連手当を「公平性・公正性に欠ける」などとほざき「廃止して基本給に組みこめ」と提言している。何が「年収の安定」だ！　彼らは、多くの手当受給者の賃金切り下げを労組の側から提言しているのだ。ふざけるな！

さらに定期昇給制度の見直しを進んで受け入れ、賃金カーブのフラット化への道を掃き清めているのが本部だ。彼らは、定期昇給が新規採用から定年までわずか四万円しか上がらない現行の一般職並みの賃金カーブを受け入れようとしているのだ。職場では「賃金の低位平準化反対」「住居手当を廃止されたら生活できない」という怒りの声がわきあがっているのだ。

郵政労働者のみなさん！　われわれは、経営陣が振りおろす人事・給与制度改悪を「将来ビジョン」を掲げて積極的に受け入れる本部を弾劾し、職場から人事給与制度改悪反対の闘いを創造しようではないか。定期昇給制度の改悪反対！　生活・業務関連手当のはく奪に反対し、「一般職と地域基幹職の統合」による賃金の低位平準化を断固として阻止しよう。職場で全国大会にむけた討論を巻きおこし、組合員の怒りの声を本部に叩きつけよう！　もって組合組織の戦闘的強化を勝ちとろう！

岸田政権の大軍拡・安保強化・改憲を阻止しよう！

岸田政権は、四月の日米首脳会談でのアメリカ・

バイデン政権との合意にもとづいて、日米軍事同盟の対中攻守同盟としての強化に猛突進している。辺野古新基地建設を強行すると同時に、沖縄・南西諸島にミサイルを配備して軍事要塞化をおしすすめているのだ。また、「緊急事態条項の創設」を突破口にして憲法改悪の道を開こうとしている。

だが本部労働貴族は、岸田政権の「戦争をやる国」づくりにたいする危機感を完全に喪失し、反戦闘争に組合員を組織化することを完全に放棄している。彼らが労組として政治課題にしているのは、「郵政事業の持続性確保」に向けた国会対策や次期参院選での組織内候補の当選に向けて組合員を動員することでしかない。われわれは、こうした本部の闘争放棄をのりこえ、職場から大軍拡や憲法改悪に反対する闘いをつくりだそう。岸田日本型ネオ・ファシズム政権をいまこそ打ち倒そうではないか！

そしてわれわれはプーチン・ロシアによるウクライナ侵略を断じて許してはならない。不屈にレジスタンスを戦うウクライナの労働者・人民と連帯し、日本の地から〈プーチンの戦争〉を粉砕する反戦闘争に起ちあがろう。スターリンの末裔どもは、ウクライナの国家と民族そのものを抹殺し、ソ連時代の版図復活の野望をたぎらせた侵略戦争を強行しているのだ。われわれは、ウクライナ人民と連帯し、〈プーチンの戦争〉を打ち砕く闘いをわが郵政戦線からつくりだそう！

同時に、シオニスト・ネタニヤフ政権によるラファ総攻撃＝ジェノサイドに反対する闘いを巻きおこそうではないか。全世界でイスラエルの蛮行を弾劾する怒りの声が沸騰し、日本やアメリカなどの大学で学生が自国政府のイスラエル支援を弾劾し、ジェノサイド反対の声をあげている。われわれは、イスラエルへの兵器供与を続けるジェノサイドの共犯者＝バイデン政権を弾劾し、全世界の労働者・人民や学生と連帯し、職場からラファ総攻撃に反対する反戦闘争を断固としてたたかおうではないか！

（二〇二四年六月十一日）

超低額妥結を居直るNTT労組中央本部弾劾！

反町　勝

二〇二四年七月十一日のNTT労組全国大会をまえにして、NTTの全国の職場から労組本部にたいする怒りと批判が噴きあがっている。

　三月十四日、NTTグループ経営陣は、NTT主要五社（持株・東・西・ドコモ・データ）の正社員にたいして「月例賃金改善」としてわずか「一人平均一万円」、上記主要会社の子会社であるグループ会社の正社員にたいしてはその九割から七割と格差をつけての超低額回答を振りおろした。無期および有期の契約社員（非正規雇用労働者）にいたっては「ゼロ」回答だ。この会社回答を労組中央本部および各企業本部は、「妥結・結着に値する水準」と語ってただちに受け入れた。NTT労働貴族どもの裏切り妥結を怒りをこめて弾劾せよ！

　この妥結水準を労使双方とも、〝過去十一年で最高の引き上げ額〟などと称揚し、超低額妥結に怒り反発する下部組合員を欺瞞し抑えこもうとしている。

だがこの「賃金改善」なるものは、率にして三％にも届かず、物価高騰に苦しむ労働者にとって実質賃金の大幅な切り下げでしかない。しかも、この一万円の「賃金改善」のうち、「グレード賃金」（基準内賃金）分は「七〇〇〇円」でしかなく、一人平均「九三〇〇〇円」が査定にもとづいて大幅に差をつける「成果手当」の改定額である。しかも「七〇〇〇円」の「グレード賃金改善」の内実も、グレード等級に応じて上げ幅に格差をつけているのだ。こうして基準内賃金の引き上げ総額を徹底的に抑制したのがNTT経営陣である。この内実を知りつつ唯々諾々と受け入れたのがNTT中央・企業本部の労働貴族なのだ。

NTTで働く労働者は、徹底的に賃金を抑制され、食料品をはじめとした生活必需品などの度重なる値上げラッシュ、介護保険料や電気・ガス料金などの引き上げによって、二十五ヵ月にわたって実質賃金の切り下げを強いられてきた。今春闘の超低額妥結によって、彼らの生活はいっそう厳しさが増し、さらに困窮を深めているのだ。

NTTグループでたたかう労働者のみなさん！経営陣に従順につきしたがう中央本部・企業本部労働貴族の大裏切りを許さず、超低額妥結を弾劾する闘いを職場から断固推進しよう！

経営陣の超低額回答弾劾！

NTTグループ労使が妥結した内容は以下のようなものである。

①主要会社五社（持株・東・西・ドコモ・データ）の正社員の月例賃金については「一人平均一万円」（グレード賃金＋成果手当）の「賃金改善」をおこなう。

②そのうちグレード賃金の「改善」は、一人平均わずか七〇〇〇円。しかも最高一〇六〇〇円から最低四五〇〇円の改善で、最大六〇〇〇円以上の格差をつけている。このグレード賃金は特別手当や退職金算定の基礎となる「基準内賃金」であり、その抑制によって、労働者は生涯賃金をも大きく削減されることとなる。

③成果手当＝一人平均九三〇〇円相当を成果手当の原資である支払い基礎額で改定する。
④子育て・介護手当は、一八〇〇円の改善をおこなう。

この回答にあたりＮＴＴ経営陣は、社員全員に異例のメッセージを発した。『『新中期経営戦略』の着実な推進」と「成長分野の拡大」に合わせ、「労使信頼関係」のもと「スキルの高度化等に自律的かつ積極的なチャレンジを期待し、給与改定をおこなう」と。これは、スキルアップのない者には容赦なくさらなる賃下げ、配転・解雇をおこなうことの宣言にほかならない。

許しがたいことに、ＮＴＴ労働貴族どもはこのメッセージに呼応して次のようにほざいた。「過去にない結着内容を見ても明らかなように、組合員が『やる気』『元気』をもって事業に邁進できる力強い〝メッセージ〟として受けとめたい」(西本部委員長・佐藤)と。この連中は、「新中期経営戦略」の推進などの会社の事業に労働者を率先して駆りたてていく決意を披瀝したのだ。まさに会社の第二労務部としての面目躍如！

ＮＴＴ経営陣は、旧来のわずかばかりのベースアップや年功によって昇給する制度を最終的に一掃するものとして、「ジョブ型雇用システム」を組みこんだ新「人事・賃金制度」を導入した（昨二三年春）。NTT今春闘の大きな特徴は、この新「人事・賃金制度」をベースにする方式を貫徹したことにある。そのうえで経営陣は、基準内賃金に相当する「グレード賃金」の引き上げを十数年にわたっての超低額である一人平均七〇〇円に抑えこみ、「成果手当」などといった成果・業績給で大幅な格差をつけた「賃金改善」を今後おこなっていくことを鮮明にしたのだ。

今春闘での「賃金改善」について経営陣は、「人事・人材育成・処遇の見直し」制度の導入による「査定昇給」として構築したグレード賃金と「成果手当」の「改善」内容を合算するというこれまでにない形でおしだした。欺瞞的にもこれを「NTT七・三％の賃上げ」としてマスコミに流し喧伝させた。それは大手の諸企業や同業他社労使が満額回答で妥結しているなかで、優秀な人材を獲得するために超低額回答という内実を社会的におし隠すことを狙ったパフォーマンスにほかならない。

従来の労使慣行を無視したこのパフォーマンスに慌てたのが中央本部労働貴族どもだ。彼らは、組合員の疑問の声に半月ものあいだ沈黙を決めこみ、あげくのはてに「『七・三％』という誇大宣伝は」会社が勝手にやったことだ」と居直ったのだ。

ちなみに東西主要会社の正社員は、東日本会社で四九五〇人（子会社を含めたグループ会社全体の社員の総数三万五五〇〇人）、西日本会社で一四〇〇人（グループ会社全体で三万四九〇〇人）である。春闘でクローズアップされる賃上げ額を社会的に公表するのは全従業員の一割にも満たない主要五社正社員の「月例賃金改善」分だけなのである。

この主要会社の正社員の妥結結果をベースに、その子会社においては、正社員と位置づけられる「グループ会社採用社員」が右の本体正社員「賃金改善」額の九割、地域限定の「エリア社員」が本体正社員の七割の「賃上げ」回答である。このように正社員と称していても大きな賃金格差がある。さらにそのほかの雇用形態の社員との賃金格差はいっそう拡大し、NTTグループの大多数の労働者はさらなる低賃金を強いられているのだ。先にも述べたように、無期・有期契約社員の基礎賃金の改善は、実にこの十一年間ゼロなのである。

ＮＴＴグループは二三年度決算において、グループ連結で一兆九二二九億円もの莫大な営業利益を計上した。この過去最高を更新しつづけている営業利益は、われわれＮＴＴグループで働く労働者を生産性向上に駆りたて、労働者の生き血を搾り取るだけ搾り取った結果なのだ。そして内部留保金（利益剰余金）は九兆七八〇億円と、しこたま貯めこんでいるのだ。ＮＴＴ経営陣は、政府と財界が一体となって進める産業構造・事業構造の大転換のなかで、「新中期経営戦略」を実施し、「成長分野」の開拓に奔走している。どこまでも強欲な経営陣は、企業の「生産性向上」に貢献し・より大きな「付加価値を生みだす」か否かを基準にして、高度ＩＴ人材には数千万円の報酬を用意し、優れた技術性・技能をもつとみなした労働者にはグレードの引き上げや成果手当を積みましながら、それ以外の数多の労働者にたいしては総額人件費抑制の観点から徹底的に賃金を抑制しているのだ。

超低額回答を受け入れた労組中央本部を許すな！

中央本部委員長の鈴木克彦は、今春闘の妥結にあたって、経営陣と合意した「月例賃金の具体的水準」は、「①物価上昇に負けない賃上げによる組合員の生活向上、②組合員への適切な配分による『分配と成長の好循環』の実現につながるものと認識する」などと傲然と言い放った。

中央本部は、〝「諸般の情勢」から賃上げ要求を当初「五％」に設定して、経営陣と交渉した。しかし交渉が「膠着」したため要求を「三％以上の改善」に切り下げ、妥結にこぎつけた〟と弁明している。

――舞台裏が透けて見えるではないか。中央本部は経営陣の超低額回答にたいしてまともに交渉もせずに、労組の側から会社が引いた妥結ライン「三％以上」まで要求を引き下げ引き下げして譲歩のかぎりを尽くしたことが。

そもそも今春闘をまえにした二月八日の時点で、持株会社社長・島田明はほざいた。「過去十年間、(物価が) 八%上がったが (わが社は) 三〇%賃上げしてきた」と。「(社員は) 生活に困るような水準ではないと認識している」などと、超低額の「賃金改善」に抑えこむ意志を居丈高に言明したのだ。

さらに経営陣は団交の場で、「査定給や処遇の見直しで社員の絶対的な賃金水準を引き上げてきており……原資を含めてトータルで捉えており、組合の要求水準にたいして、満額回答にはいたらない」とほざいて組合の要求を蹴飛ばした。中央本部は、このような会社の主張にたいして「査定昇給はあくまでも制度による賃上げであり、『底上げ』ではない」とか細い声で反論ならぬ哀訴をつぶやくのが精一杯であった。そのあげく中央本部は、闘争幕引きの常套句—「原要求にこだわらない水準」なるものを持ちだし、みずからの要求を「五%改善」から「三%以上の改善」という超低率に切り下げ、労働組合の側から要求を自制したのだ。しかも組合本部は、経営陣が賃金改善要求を抑圧するための口実として昨年から持ちだした「持続的かつ安定的な賃金改善こそ重要」なる言辞を持ちだした。まさに春闘幕引きの口実として。

彼ら労働貴族どもは、交渉開始時に「物価に見合う賃上げがなければ、実質賃金は目減りすることから、物価上昇を補う賃上げに (会社は) こたえていかなければならない」と建前としてさもさもらしく主張しておきながら、その舌の根も乾かぬうちに今や「経営側の経営環境を考慮すべきだ」などと下部組合員に説教している。彼らの裏切り妥結にたいする怒りを封じこめる言辞を開陳しているのだ。まさに経営陣の下僕としての本領を発揮したのだ。

そもそも中央本部の春闘要求の基礎づけが、「NTTグループ事業の成長・発展を継続していくため」の「人財への投資」であり、「日本経済の好循環」につながるものとしての「持続的な賃金改善」を図るべき、というものだ。経営陣の敷いた土俵で低額の賃金改善要求を基礎づけているのがNTT労働貴族どもなのだ。困窮する組合員、労働者の生活を防衛するために賃金を引き上げるという考えは彼らにはさらさらないのである。

十一年連続ゼロ回答――非正規労働者の見殺しを許すな

ＮＴＴグループすべての、無期および有期の契約社員（月給制・時給制の非正規雇用労働者）の月例賃金の引き上げ要求にたいする回答は、十年以上にわたって連続ゼロ円である。彼らにたいする経営陣の「月例賃金の改善」なるものは、またしても特別手当て（ボーナス）支払い時の「評価反映加算額」（Ⅰ～Ⅴの五段階評価）に半年分をまとめて支払うというだけなのだ。これを、ＮＴＴ労組各企業本部は、「月例賃金見合い」と言い換え、月例賃金の引き上げであるとおしだしているのだ。しかも五段階評価のうち最低ランクのⅠ評価では文字どおりのゼロ円。最上位のランクⅤ評価が半年分で四万七〇六〇円というように、引き上げ額（特別手当てへの加算額）に大幅な格差をつけたのだ。大多数の労働者は、Ⅱ評価の半年でたった一万八八二〇円だ。支払われる額そのものは、「格差」をつけた改定でしかなく、毎月の基本賃金が上がるわけでもない。業績評価されないかぎり「平均」以上は支払われない仕組みとなっている。こうした差別・冷遇の実態を隠蔽するために、労組中央本部は、〝十分な「底上げ」を図るまでには至らなかった〟などと欺瞞的言辞を弄している。

ストなし妥結を弾劾する

今次春闘において、たたかう組合員の奮闘により、各職場では九九％前後の高批准率でスト権を確立した。だがＮＴＴ中央本部は、スト準備指令を発出したにもかかわらず、またしても最終段階でストライキ準備を中止した。多くの組合員が、スト中止指令を発し超低額回答に一発妥結した中央本部に怒りを表明している。「中央本部のやっていることが分からん！」「何で要求を二％も引き下げたのか!?　満額でも生活は厳しいのに」「ストを準備までして突然の中止！　説明もない！」「やるやる詐欺だ！」……職場では怒りが噴きだしている。

こうした組合員の怒りに直面して中央本部委員長の鈴木は次のような弁明に躍起になっている。「会社側が集中回答日とストライキを強く意識したことから残された時間は極めて短いが、このまま実力行使でたたかうよりも話し合いで解決すべきと判断した」と。闘争収拾・妥結の理由が、会社側が軟化し話し合いでの可能性が見えたかのように聞こえるが、事態はまったく逆である。会社が譲る姿勢をまったく見せないことに浮き足だって妥結＝屈服を急いだのは中央指導部の方なのだ！　それはストライキ準備を中止し妥結した超低額の賃金改定の内実から歴然としている。これを弁明しようなどというのは、悪あがきにもほどがある。

さらに許しがたいことに、中央本部組織部長の山本は、「ストを打ちさえすれば要求が貫徹されるということは確約されていない」、ストは「会社との交渉を反故にする」などと、超低額回答に怒り「スト権を行使すべきだ！」と主張する組合員を恫喝しているのだ。

「連合」会長・芳野友子がストライキの多い米国の労働組合を批判し、「日本は労使一体で経営をチェックし、企業を発展させる考え方だ」とほざいたのと同様に、ＮＴＴ労組中央本部もＮＴＴ経営陣の経営・労務施策に奉仕する労働運動に完全に陥没している。

ストライキ戦術は、労働者の権利を勝ちとるための闘いの武器であると同時に、労働者が階級的自覚と団結をうち固める決定的契機となる。だからこそ要求貫徹のために労働者は団結しスト戦術を駆使して経営陣とたたかわなければならないのだ。にもかかわらず下部からの突きあげを無視抹殺してストライキ準備を中止したこの中央本部の大裏切りは、彼らがまさに経営陣の下僕でしかないことを満天下にあらわにしたのである。

彼ら中央本部は、「賃金改善要求」を「企業の成長・発展」のための「人財への投資」として基礎づけている。まさにそこに貫かれているのは、経営陣の経営・労務施策のスムーズな貫徹を支える〝第二労務部〟にふさわしい、「労使運命共同体」思想に貫かれた反労働者的な組合運動路線にほかならない。

すべてのＮＴＴ労働者は、労使協議路線にもとづいて企業の経営労務施策に従属する春闘へとねじ曲げるＮＴＴ中央本部・企業本部を弾劾し、職場からＮＴＴ春闘を再生させるために力を合わせたたかおう！

軍民両用技術ＩＯＷＮの開発に狂奔するＮＴＴ経営陣

ＩＯＷＮを日米共同で開発

アメリカ大統領バイデンと日本首相・岸田文雄は、四月十日の日米首脳会談の合意文書で、ＮＴＴが中心になって開発している、光電融合技術を駆使した次世代通信システム＝ＩＯＷＮについてはじめて言及した。「日米企業は、アイオン（ＩＯＷＮ）グローバルフォーラムのようなパートナーシップをつうじ、光半導体をつうじて得られる幅広い可能性を模索している」と。この合意に、岸田に同行したＮＴＴ会長・澤田純（経団連のアメリカ委員会会長）は、「大変喜ばしいことですし、非常に大きなご支援を両国政府からいただいた」と歓迎の意を表明した。

こうした一連の事態は、ＮＴＴが総力をあげてつくりだしてきた、中国企業を排除した共同開発の枠ぐみである「アイオングローバルフォーラム」を日米両国家レベルの取り組みにおしあげたといわなければならない。今後、日米両政府はＩＯＷＮをますます反中国の「両国家共同のプロジェクト」として推進していくにちがいない。これに対抗して中国は、武漢市に約三〇万人の技術者を集め、武漢光電融合国家研究センターなどで光電融合研究を国家をあげて進めている。

法廃止を射程に入れたＮＴＴ法の一部改定

岸田政権は、四月十七日にＮＴＴ法一部改定案を国会で成立させた。研究成果の開示義務などを廃止する内容である。政府・自民党は、今回は他の通信諸企業の猛反発と、総務省と経済産業省の〝省益〟をめぐる対立のゆえにＮＴＴ法廃止を明記することができなかった。しかし岸田政権は、附則において「ＮＴＴ法のあり方」について廃止を含めて次期国会を目途に検討することを押しこんだのだ。

ＮＴＴ経営陣は、このＮＴＴ法の改定を歓迎し、電話のユニバーサルサービス（加入電話、光回線電話、ワイヤレス固定電話、１１０番、１１９番、１１８番の緊急通報、公衆電話、災害時公衆電話）の提供義務の廃止に向けて総務省の通信政策特別委員会で攻勢をかけているのだ。彼らは、電話のユニバーサルサービスをひとりＮＴＴだけでなく電気通信事業者全体で担うべきだと主張している。また、従来のメタル（銅線）回線ではなくモバイル（携帯）を軸とすべきと言っている。ＮＴＴがユニバーサルサービスを課せられていることによる赤字は年間約五〇〇億円にのぼるという。

岸田政権は、ＮＴＴを中国主敵の軍事戦略に十全に活用するために、ＮＴＴをこのようなユニバーサルサービスの足かせから解放し、ＩＯＷＮとりわけ光電融合技術の開発で国際競争力を高めさせようとしているのだ。

政府の軍事・経済安保戦略への協力

ＮＴＴ経営陣は、会長・澤田みずからが岸田政権の防衛力強化の有識者会議に参加しているのに続いて、副社長・川添雄彦を「能動的サイバー防御」有識者会議に送りだした。ＮＴＴ経営陣は、代表権を外した会長・澤田を先頭にしてＮＴＴ法廃止をめざして政治的発言力を強めていこうとしている。同時にＩＯＷＮのデュアルユース（軍民両用）開発の名のもとに軍需産業に食いこむことをも狙っているのだ。

すでに防衛省は、ＩＯＷＮを自衛隊に導入することをめざして二四年度予算に調査費を盛りこんでいる。

ＮＴＴデータ、ＮＴＴドコモ、ＮＴＴ都市開発は自民党に過去十年間で一億五一〇〇万円の政治献金をおこなったと言われている。ＮＴＴ経営陣は、政府から、とりわけ新型半導体の開発・製造へのいっそうの支援をとりつけることを狙っているのだ。

労働者への犠牲強要を許すな！

ＮＴＴ経営陣は、ＮＴＴ版の生成ＡＩ「ｔｓｕｚｕｍｉ」を116センターや113センターなどに導入し、三〇〇〇～四〇〇〇名の人員削減を強行しようとしている。ＮＴＴ法廃止をにらんでＮＴＴ東・西会社の合併を経営効率化の名のもとにおしすすめようともしている。労働強化、人員削減を許すな。

ＮＴＴ労組指導部は、ＮＴＴ法廃止に双手を上げて賛成し、政府やＮＴＴ経営陣に全面的に協力している。われわれは、このような反労働者性をさらけだす労組指導部を弾劾し、労働者への犠牲強要を打ち砕くためにたたかおう。

〔本誌掲載の関連論文〕

・ＮＴＴ二四春闘の戦闘的高揚を！　花形　哲（第三三二一号）
・ＮＴＴ法廃止―最先端通信技術の軍事利用への突進　畠山　刈太（同）
・ＮＴＴ春闘「生産性向上」に全面協力する労組本部を弾劾せよ　反町　勝（第三二一三号）

「医師の働き方改革」の欺瞞性

政府・厚労省による長時間労働の合法化を許すな

松乃環

政府・厚生労働省は、「医師の働き方改革」を謳って、「医師の時間外労働の上限規制」を二〇二四年四月より本格的に実施している。二〇一九年に施行された「働き方改革」に盛りこまれていた残業の規制について、運輸業、建設業などとともに医師の労働についても特別扱いで「五年間の猶予」を設けていたのだが、今年はその期限が切れて「上限規制」を本格的に開始するとしているものである。

この五年間も、そしていまなお日々医師の過酷な長時間労働は続いており、過労死・過労自殺・過労疾患が後を絶たない。一昨年も神戸で医師が過労自殺に追いこまれた。この過酷な労働を軽減するかのように見せかけているのが、今回の「時間外労働の規制」なるものだ。だがしかし、この「働き方改革」は、医師の増員などの施策をまったく施さないまま、労働基準法(以下、労基法と略)基準をはるかに上回る時間外労働を強いることを合法化したものにすぎない。さらに、今でも医師不足にあえぐ過疎地をはじめとして地域医療の崩壊を促進させるものである。また、診療科ごとの医師の偏在をいっそう招くものでもある。今回のエセ「働き方改革」は、医療労働者のみならず労働者・人民に犠牲を強いるしろものでしかない。その根底には政府・自民党の、総医療費抑制政策があるのだ。われわれは、政府の医療政策に断固として反対を突きつけねばならない。

1　医師の長時間労働の実態

「我が国の医療は、医師の自己犠牲的な長時間労働により支えられており、危機的な状況。医師は昼夜問わず、患者への対応を求められうる仕事であり、特に、二十代三十代の若い医師を中心に、他職種と比較しても抜きんでた長時間労働の実態にある」（二〇一九年、三月二十八日、厚生労働省「医師の働き方改革に関する検討会報告」）とされている。だが、このような厚労省の作文では、医師の労働の過酷な実態は、とうてい言い表せない。

　実際の医師の働き方の現状はどうか。たとえば、医師の宿直勤務日の典型的な働き方は次のようなものだ。

　一日目、A病院へ早朝出勤、夜間の入院患者・時間外患者の申し送りや指示出しをおこなう。午前中外来（十三時、十四時までかかるのはざらである）、昼食もそこそこに「外勤」先のB病院へ移動し、午後の外来や手術をおこなう。夕方、A病院に戻りカンファランス（検討会）などに出席、書類作業、患者・家族への「説明と同意」（インフォームド・コンセント）の実施等々の諸業務をおこない、宿直勤務に入る。A病院で夜間の宿直。二日目はそのまま朝からの勤務に就き夜まで労働するので、連続四十時間近い勤務となる。宿直明けの軽減勤務が設けられることは少ない。

〔労基法の三六協定の規定では月四十五時間・年三六〇時間が時間外労働時間の上限とされ、月八十時間にもなると、これは「過労死ライン」とされている。「違反した者」には六ヵ月以下の懲役または三〇万円以下の罰金が科せられるとされている。〕

　医師の労働の実態は、二〇一六年の統計で週当たり勤務時間が六十時間以上（週四十時間勤務で時間外二十時間、月の時間外八十時間の過労死ライン）が男性四一％、女性二八％にものぼる。過労死ラインをはるかに超える週八十時間勤務でも男性一一％、女性七％と高率で、全世代平均でも男性五十七時間五十九分（約六十時間）女性五十一時間三十二分となっており、実に長時間である（表1）。病院勤務医の約四割が年間にして九六〇時間超、約一割が一八六〇時間超の時間外・休日労働を強いられているのだ。

（表1）週当たり勤務時間

医師の年齢	男性医師	女性医師
20代	64時間59分	59時間12分
30代	63時間51分	52時間13分
40代	61時間06分	49時間20分
50代	55時間28分	50時間05分
60代以上	45時間17分	42時間49分
全年齢平均	57時間59分	51時間32分

（2016年度厚労省）

　宿直も多く、全年齢統計で、宿直なしは医師全体の四六％にすぎず、月当たりの宿直回数が一～四回は四二％、五～八回一〇％、九回以上がなんと二％もいるのだ。

　医師の「外勤」も多い。四十二国立大学でのべ九四七五病院に常勤・非常勤として医師が派遣されている。一大学平均二二六病院である。地域の病院は医師不足、専門医不足を大学などからの派遣医師を受け入れてやっとなりたっているのだ。大学病院の医師は給与水準が低く、派遣される医師は外勤＝アルバイトで収入を得てやっと生活をなりたたせている（註1）。

　大学においては、医師は診療のほかに教育および研究活動にも従事する必要があるが、これも医師たちの負担になっている。国立大学が法人化されて以降、大学病院当局者は「経営の黒字化」を迫られてきた（註2）。それゆえに、医師にたいして診療時間を増やして働くように命じているので、教育研究にあてる時間がなくなっている、とされる（国立大学病院長会議、二〇二二年調査）。助教クラスで研究活動が週五時間減少、一五％の医師は研究活動時間が「ない」と回答している（全国医学部長会議アンケート）。当然、研究が勤務時間外に強いられることになるのだ。

まさに、OECD加盟国中最低ランクの人数（人口一〇〇〇人当たり）の医師に長時間労働を強いてなりたっているのが日本の医療なのだ。しかし、政府・厚労省は、将来の人口減少を見越して医学部定員を削減することをたくらむばかりで、医師数の増員などはもってのほか、今ある医師数で工夫せよと、医師に長時間・超強度の労働を強いつづけているのだ。

2 長時間労働を合法化した「医師の働き方改革」

本年四月からの「医師の働き方改革」では、従来無制限だった（年三〇〇〇時間働いている医師もいる）労働時間に一定の上限を設けようとしているが、「上限」としている労働時間じたいが労基法を大きく逸脱した超長時間なのだ。

各医療機関の経営者・当局者は、雇用している医師ごとの働き方に合わせて、A、連携B、B、C－1、C－2の五つのランクに分けたどれかを選んで労働基準監督署に申請をしなければならない。Aは一般病院、連携Bは医師を派遣している病院、Bは救急病院や二十四時間対応の在宅医療をおこなっている医療機関など、C－1は研修医・専攻医（旧後期研修医）、C－2は高度技術を習得しようとしている医師となっており、区分ごとに時間外の基準が決められている（二四五頁の表2）。

Aですら上限は年九六〇時間で一般則の年七二〇時間にたいして二四〇時間も長い。連携Bの場合、勤務先と外勤先での勤務を合わせて一八六〇時間（移動時間は含めない）の労働が認められている。B、C－1、C－2も一八六〇時間の長時間労働を認めることになっている。これまでの無制限労働時間に「上限規制をかけた」などと政府・厚労省は言うが、これがいったい「規制」なのか？　年一八六〇時間は月当たり一五五時間であり「二度過労死する」ラインではないか。

連携BとBは二〇三五年までには「解消する」（今から十一年後までには「年間九六〇時間以下」に合わせるようにする）とされているが、厚労省自身がまったく約束する気のない〝画餅〟と思っているのであり、実現性のまったくないものである。共同通信社が全国の特定機能病院（高度医療を担う八十八病院）におこなった調査では、回答した九割が九六〇時間に収められず一八六〇時間の申請をおこなっていると回答。九六〇時間まで削減する現実性すらもまったく乏しいのである。

今回の「働き方改革」は、まさに医師に殺人的な長時間労働を強いることを合法化するためのものでしかない。それゆえに「規制」と言いつつ、多くの抜け穴までもが用意されている。

3 「宿日直許可」の欺瞞

〝抜け穴〟の一つが〝宿日直は勤務時間とみなさない〟というシステムである。

二〇一八年、四十代男性医師が、くも膜下出血で倒れ労災を申し立てたが却下された。パソコンなどの記録から発症前の一～六ヵ月間の時間外労働は月四日の宿直を含めると、毎月一二六～一八八時間であった。ところが、この宿直のうち六時間は「仮眠がとれた」として宿直時間が勤務時間と認められずに、労災認定が却下されたのだ。このデタラメな勤務時間算定を正当化しているものが「宿日直許可」の制度だ。

入院患者、救急患者、在宅患者などに対応するため病院では宿日直が必須である。しかし、中小医療機関の場合、常勤医の数が限られているため、常勤医で賄えない宿日直枠を非常勤医師に頼らざるをえない。その際、入院患者の状態が落ち着いていて、軽微な患者の変化への対応が主業務でほとんどが「待機」でいられる宿直（俗に「寝当直」と言われる）を医師にさせる場合、当該の医療機関の当局者が勤務実態を労働基準監督署に提出して「宿日直許可」が下されれば、「寝当直」の時間は勤務時間に加算されないことになる（「労働基準法施行規則第二十三条」による）。

政府・厚労省自身が、医療機関経営者にたいして医師に通常の日勤業務に加えて宿日直業務をやらせる場合に、この制度を活用せよと推奨してきたのだ。医師を派遣する医療機関では、派遣先が「宿日直許可」をとっていないならば、派遣しようとする医師の合計労働時間が上限をはるかにオーバーしてしまうことになるので派遣先医療機関に許可取得を要求する。地域の中小規模の医療機関にとっては当直医師を確保するためには非常勤医師が派遣されるかどうかが死活問題であり、当然「宿日直許可」を申請する。労基署の許可件数は、二〇二〇年一四四件、二一年二三三件だったが、二二年には一三六九件と急増し、多忙で夜間仮眠などとれそうもない医療機関への認可もされていると言われている（救命救急センターにも許可が下りている）。

〔この「宿日直許可」については「宿直は週一回、

（表２）医師の年間時間外労働の規制基準

医療機関の指定	対象医師	医師に適用される水準	
		36協定で定められる水準	実際に働かせられる時間
A	一般医療機関	960時間以下	960時間以下
連携B	医師を派遣している医療機関	960時間以下	1860時間以下（派遣先と合計）
B	救急病院、在宅、知事が指定した病院	1860時間以下	1860時間以下
C－1	研修医、専攻医	1860時間以下	1860時間以下
C－2	高度技術を育成する医師	1860時間以下	1860時間以下

＊月の上限を超える場合の面接指導と就業上の措置が義務
＊勤務間インターバルの確保…A努力目標、B・C義務
①24時間以内に９時間
②26時間以内に18時間
＊連携B・Bは2035年度を目標に解消する
＊一般則：年720時間、複数月平均80時間未満年６ヵ月まで

（日祭日などの）日直は月一回」という縛りがあるため、派遣を切られる病院も出てきている。」

「寝当直」とされているときも、医師が何か患者対応で仕事をすればその時間は「勤務」とみなされ、その後の休養が考慮されるとなってはいる。しかし、看護師からの軽微な問い合わせに答えるぐらいの労働などでは、多くの場合、医師は「勤務」として申告するとはならない。夜中に電話で起こされて報告を聞き判断を伝えた場合、たとえベッドの中にいても睡眠は中断される。日中の勤務で生じた疲労の回復は障害される。同様に、医師の日直業務時間が患者に対応するなどの業務に直接従事していない「待機」の時間が長かったとしても、仕事場に拘束されつづけるのであり、これは当然にも「休息時間」ではない。

拘束時間を労働時間に繰りこまないということを法制度に盛りこんでいるのは、医師労働力確保のための犯罪的な措置である。こんな抜け穴をそのままにした「働き方改革」など、実に欺瞞的なしろものではないか。

4 「自己研鑽」の欺瞞性

二〇二二年、神戸の二十六歳の専攻医（従来の後期研修医にあたる）が自殺に追いこまれ、遺族の提訴によって労災の認定が下りた。直前一ヵ月の時間外労働時間二〇七時間、三ヵ月休みなしという勤務を過重労働として認めようとしなかった病院当局の口実が「自己研鑽は労働時間ではない」ということであった。

医師が日々の診療を確実におこない、技術性を上げるには、日進月歩の医学・医療技術の習得に努める必要がある。そのために、カンファランスの準備をする。また、学会に報告したり、論文を作成したりする。各種専門医資格維持に必要な研修を受けたり、書類を作成したりする。大学院生の場合、研究をおこない学位論文にするなど、医師には学習や研究がつきものである。それらの時間の多くが「自己研鑽」と言われ、労働時間と認められないのだ。

学会や研修会は休日に開催されることが多い。その場合、上司の明確な命令でおこなった場合以外は「自己研鑽」とされたり、「自分が学会発表をおこなった時間」のみが労働時間であるとして、そのほかの学会参加時間やそのための準備の時間などは「自己研鑽」として、労働時間としては認められなかったりするのである。受け持ち患者の診療のために勉強していても病院が命令した研究・研鑽でなければ「自己研鑽」となる。このようなことがまかり通っているのであり、これもまた、医師の「労働時間規制」の大きな抜け穴なのだ。

5 「タスク・シフト、タスク・シェア」を謳う医療労働者への労働強化

厚労省の指導では、「医師の労働量を減らすため」と称して、看護師、助産師、診療放射線技師、救命救急士、義肢装具士、臨床工学技士、視能訓練士、臨床検査技師、言語聴覚士、作業療法士、理学療法士などについての各法令を改正し、医師の労働やそれぞれのタスク(業務)をシフト(移譲)したりシ

ェア（共有）したりせよ、としているが、これも欺瞞的なものである。

たとえば放射線技師が、造影剤の点滴の針を刺す、検査後針を抜く、検査の説明をして同意書を作成する。医療事務作業補助者が書類作成、カルテの代行入力をするなどがある。看護師に特定の診療を移譲する動きも強化され、「特定行為研修修了（看護師）」（注3）「診療看護師（Nurse Practitioner：大学院修士課程修了の看護師が一定の診療行為をおこなえる）」など、専門看護師の育成もされている。

これらの医療労働者の業務の種類は増えるのであり、技術性の高度化が迫られる。医療サービス資本家は、人員を増やすことなく彼ら医療労働者の業務を増やすのであり、労働者の労働強度は増進され労働時間の延長をともなうことがほとんどである。彼ら医療労働者は、従来は「医師の指示のもと」でとされてきた医療行為を、一定の範囲内であるが自分で判断しておこなわねばならないことになる。医師でない職種の労働者も「診療行為における責任」が一挙に増大することになるのだ。

6　DX化による労働の生産性向上の強要

今日、医療機関が電子カルテを導入することが〝必須〟とされ、書類の電子化・電子処方箋・非対面診療・マイナンバーカードを用いた診療情報の管理・AI（人工知能）導入も政府によって促されている。政府の政策に促されつつ各医療資本が「非対面診療」＝オン・ライン診療を始める場合をとりあげるならば、医療サービス資本の資本家は、オン・ラインの機器類の設置、サイバー攻撃対策、医師・患者双方の本人確認システム、電子化されたデータを読み取る機器の設置など、労働手段となるものを、労働過程に導入する。同時にこの資本家どもは、医療労働者にたいして、新たな労働手段を使いこなす技術性の高度化を強いるのであり、労働者にはさらなる労働強化・長時間労働も迫られるのだ。

そして、IT機器に不慣れであったり使いこなせなかったりする労働者にたいして、「DX化に対応できない」という理由で資本による首切りや配転攻撃がかけられるのである。いま「医療のデジタル化推進」の名のもとにそのような労働者への攻撃が始まっているのだ。

また、電子カルテの入力に集中するあまり、医師が患者の顔も見ずに診療するという歪んだ医療がもはや異常とされなくなっているのだが、そうした医療労働者の電脳的疎外もいっそう進行するであろう。

7　地域・診療科による医師の偏在の進行

政府・厚労省は「三位一体」と称して、「地域医療構想、医師の働き方改革、医師偏在対策」を一体で進めるなどと喧伝していたが、地域医療構想や医師偏在対策が進まないなかで、とにかく「医師の働き方改革」を本年二〇二四年四月から開始した。

ここで、「地域医療構想」なるものに一言だけふれておく。それは、小泉政権を始めとした歴代の政権が総医療費の増大を削減するために、「効率的な医療」を謳って、医療機関を高度急性期、急性期、回復期、慢性期に分けるかたちで再編統合し、急性期の入院ベッド数の削減、高齢者の入院診療からの排除、公立公的病院の統廃合などをおしすすめようとするものである。

もう一つの「医師の偏在」は、「対策」が進まないどころか、むしろ悪化している。そもそも医師の地域偏在は、小泉「構造改革」の施策として実施された二〇〇五年四月「新医師臨床研修制度」の開始からより顕著となったのであり、歴代自民党政権が悪化させてきたものなのだ。従来は大学病院が主に（約七割）担っていた医師の教育・育成を他の医療機関に拡大。いまや大学病院研修医は全研修医の七・五％となっている。それゆえに、大学病院から地域医療機関への医師の派遣が（特に〝へき地〟などには派遣希望医師が少なく）厳しくなっている。

今回「医師働き方改革」の「勤務時間制限」の結果として、大学病院などから地方の医療機関への派遣の打ち切りがすでにおこなわれており（註4）、今後、地域間格差はいっそう激しくなる。また、「連携B」と「B」は二〇三五年度までに「解消する」と言われており、それまでに各医療資本は対策が迫られている。各医療資本が診療体制の縮小や専門外来の廃止などで対応するのは火を見るより明らかである。

また、診療科ごとの医師の偏在も悪化している。多くの若手医師たちが、過重労働と医療訴訟を回避するため、当直・時間外労働・救急患者対応などの少ない診療科に集まっている。週当たり労働時間が六十時間以上の多い上位の科は、外科五一％、脳外科五三％、救急科五〇％であり、下位は精神科、リハビリ科、眼科である。二〇一六年を一九九四年の医師数と比較すると、麻酔科、精神科、放射線科で医師が増加しているが、外科系、産婦人科は減少している。外科医の減少は危機的といえるほどであり、一九九六年の二万六〇七〇人から二〇一六年の二万四〇七三人（一九九七人減の八％減少）、二〇二〇年には二万三二七八人（さらに三％減少）と、減少が続いている。

地方自治体などが医師確保対策を講じようとしているが、いまや焼け石に水の状態である。患者が外科手術や専門医療を受けるために遠隔地の病院に行かざるをえない事態が加速しているのだ。これら「医療過疎地」や「医療難民」を生むような事態は、政府・支配階級が、「医療の効率化」の名のもとに、「医師不足」対策を放棄し、医療機関に「経営効率」を優先させつつ公立公的病院の統廃合や中小病院の淘汰をおしすすめてきたがゆえにもたらされているのだ。岸田政権は、さらに「地域医療構想」と銘うった医療サービス提供体制の再編をおしすすめるために、医師の偏在や地域の医師不足を放置しつづけようとしているのだ。

8　労働者・人民に犠牲を強いる医療政策を許すな！

すでに見てきたように、政府・厚労省による「医師働き方改革」は、医師をはじめとした医療労働者の長時間・超強度の労働を合法化するものにほかならない。そして、すでに起きている地域的および診療科ごとの医師の偏在をいっそう促進し、地域医療崩壊の危機をもたらすものである。

医師業務の「効率化の手段」といわれているタスク・シフトやタスク・シェア、「医療のデジタル化」は、医師をはじめとした医療労働者全体にいっそうの労働強化をもたらすものなのだ。

また、この「DX化」の号令のもとに医療機関をふるいにかけて公立公的病院の統廃合や中小病院の淘汰選別をいっそう進めることをねらっているのが、岸田政権なのだ。このような医療機関の「再編統合」は、地域医療をひっ迫させ、高齢者をはじめとした通院困難者を増大させることになる。同時にDX化は、医療労働者の電脳的疎外をも進めるものなのだ。

政府・厚労省は、団塊の世代の全員が後期高齢者となる二〇二五年を目前にして、「地域医療構想」を是が非でも実現しようとしている。岸田政権は、国家財政から医療費などの社会保障費を削減するために、医療サービス提供体制の再編、医療サービスの削減、労働者・人民の保険料や窓口負担の増額など、労働者・人民にいっそうの犠牲を強いようとしているのだ。

この岸田日本型ネオ・ファシズム政権は、日米軍事同盟強化・大軍拡のために、二〇二三〜二七年度の五年間で四三兆円もの軍事費を捻出することをねらって、国家財政からの社会保障費支出の削減を強行しようとしているのだ。

医師・医療労働者にたいする労働強化・さらなる長時間労働の強制を許すな！

われわれは、労働者・人民に犠牲を強いる医療政策に断固として反対していくのでなければならない。

医療・福祉切り捨て反対！　岸田政権による社会保障制度改悪を許すな！

註1　二〇二三年十一月「全国医学部長病院長会議」調査によると、ある都市部の大学病院の医師の年収は、二十七歳初期研修医二九二万円。三十二歳医員が四一八万円。二〇一九年文部科学省調査で、大学病院勤務医三万一八〇一人中、大学院生など九％が無給。

註2　四十二国立大学病院中、三十三大学が赤字で、赤字額は合計三〇二億円になる。（二〇二三年十月「国立大学病院長会議」）

註3　看護師に研修を受けさせて、麻酔、人工呼吸器、動脈採血、インスリン調整、傷の処置を実施させる。

註4　四病院団体協議会が二〇二四年一〜二月におこなった調査では、すでに七％の医療機関で派遣の中止または縮小がおこなわれ、五〇％は今後何らかの影響が出ると回答している。中止または縮小とされているのは多い順に、内科、整形外科、外科、脳神経外科、小児科である。

教特法制定反対闘争　革命的・戦闘的教育労働者はいかに闘ったか

狩　勝　巖

岸田政権・文部科学省は、産業構造の再編（ＤＸ・ＧＸ）を支える人材の育成を図るために、「ＧＩＧＡスクール構想」の実施に続いて、ＩＣＴ技術を駆使したＣＢＴシステム（ＭＥＸＣＢＴ）を導入するなどのデジタル教育と外国語教育の強化を進めている。教育労働者にたいしては様々の研修の強要と教員の評価システムの実施を強行している。その結果教育労働者は、過酷な労働強化と超長時間労働を強制され、いまや離職者・病休者が激増し教員志望者は激減している。政府・文科省は「働き方改革」と称して超勤削減の抜本策もないままに、教員に「高度専門職＝聖職」意識をあおりたてるとともに「定額働かせ放題」を可能としている「給特法」をあくまでも堅持しようとしている。それだけではない。「新たな職」＝「主任教諭」など新たな人事給与制度を導入せんとしている。これを断じて許してはならない。

政府権力者どもは、「教特法」（註）の成立以来五十年以上にわたって教員を「専門職＝聖職」とさだめ、教育労働者への労働基準法第三十六条(「時間外及び休日の労働」)、第三十七条(「時間外、休日及び深夜の割増賃金」)の適用を除外し、不払い時間外労働を強いてきた。これが許されてきたのは、政府権力者がこの教特法の制定を強行してきたときに、日教組指導部が、政府・ブルジョアどもの「教師=専門職」をふりかざした攻撃に屈服し「教職調整額四%」に飛びついて闘いを裏切ったからなのだ。このとき革命的・戦闘的教育労働者はこの民同系本部の闘争歪曲をのりこえて、全国から教特法制定反対闘争を果敢にたたかいぬいてきた。この闘いの教訓を活かして、「給特法撤廃・新たな職の導入反対」の闘いを全国から高揚させようではないか!

政府・文部省による教特法制定の一大攻撃

「教育公務員特例法一部改正案」の提出と廃案——一九六八年

戦後、教育労働者の超勤については、法的=形式的には労基法三十六・三十七条が適用されるとされていた。だが文部省(当時)は、「教員には原則として超過勤務を命じないこと」という一九四九年二月の文部省次官通達を楯にして、現実に存在する超勤を認めず、「超過勤務手当は教員には支給しない」という不当な決定事項をごり押しした。戦闘的組合員たちは、教職員は労働者であることを明記した「教師の倫理綱領」(一九五一年八月)にもとづいて、労働者としての自覚に燃えて、全国で学校管理職・教育委員会、そして文部省にたいして、超勤の存在を認めないことにたいする闘いをくりひろげた。

日教組が、全国統一闘争として超勤制度確立闘争にとりくんだのは一九六二年の富山大会以降である。こうした闘いの高揚に追いつめられた政府・文部省は、一九六五年、日教組にたいして「教員の勤務状態の実態調査をおこない、その結果をまって検討する」と称して、一九六六年に勤務実態調査をおこない、これをもとにして一九六八年三月、「教育公務員特例法一部改正案」を国会に上程したのだ。この

「改正案」は、このの ちうちだされた「教特法」とほぼ同様の内容である。教育職は「高い専門性と職業倫理によって裏づけられた特別の専門的職業であり、聖職とよびうる」という理念のもとに、「教育職員の職務と勤務態様の特殊性」から、教員の「給与やその他の勤務条件について特例を定める」ことを第一条で定めるものだった。

これにたいして日教組は、「労基法三十六条・三十七条の適用除外によって無定量の勤務をおしつける」ものであると反対し、あくまで「超勤手当制度の確立」を要求してたたかいぬき、この法案を廃案に追いこんだのである。

「教特法」制定に踏みだした政府・文部省
——一九七〇年二月

一九七〇年に入って政府・支配階級は、教特法制定の攻撃を再開した。一九六八年から一九七〇年にかけて、学園闘争が全国的に燃えあがるなかで、政府・支配者どもは高等教育制度の抜本的な帝国主義的再編にうってでるとともに、初等・中等教育の再編を含めた戦後民主教育制度全体の帝国主義的再編成に着手した。これと一体のものとして、政府・文部省は教特法制定の攻撃を、一九六八年とは異なる新たな地平に立ってかけてきたのである。ところが日教組書記長・槙枝元文(当時)は文部省とのボス交に応じ、政府案の教職調整額支給には基本的には反対しないという、とんでもない裏切り的とりひきを交わしたのである(一九七〇年十一月二日)。

日教組82回中央委　槙枝執行部の大裏切り
——一九七〇年十二月

日教組槙枝執行部は、労基法にもとづいた割増賃金を要求するという従来の方針を投げすて、いわゆる「二本だて要求方針」に転換するという大裏切りに手を染めた。本部ダラ幹どもは、従来の労基法にもとづいた割増賃金を要求するという方針に加えて、「教育労働の特性にかかわる超勤には特別手当を要

教特法をめぐって白熱した討論をくりひろげる教育労働者
（日教組第21次教育研究全国集会、1972年１月15〜18日）

求する」という方針を新たにうちだした。これは、政府・文部省が教職を「専門職＝聖職」と位置づけるとともに、教職員の人材確保のための待遇改善として「教職調整額四％」を提起した教特法制定の攻撃に完全に屈する大裏切りにほかならない。「教職調整額」は本俸に組み入れられ、ボーナスなどの算定基準にもなった。日教組民同系本部は政府・文部省から差し出された「ニンジン」にものとり主義的に飛びついた。彼らは、文部省のうちだした教職調整額支給については「測定不可能」な超勤部分への手当だと意味付与してこれを受け入れたうえで、残りの明確な「測定可能」な超勤部分についてのみ労基法（第三十七条）にもとづく手当を請求するのだなどと、組合員を欺瞞したのである。他方、日共系反主流派はこの日教組民同系執行部の「二本だて手当要求」方針を「勇気ある決断」などと誉めたたえ、裏切りに手を貸したのである。

　裏切りの紋章であるこの本部方針をめぐって、第八十二回日教組中央委は大紛糾した。「この方針は大転換であり中執の態度は問題だ」（東京、福岡）。「したがって下部討議し、臨時大会をひらくべき」（東京）。社会党構改派系の槇枝は、右翼的な県教組を組織しつつ、日共系の支持をも受けて、東京などの「再度決議機関にかけるべし」という修正案をほうむった。日教組内最左翼を自任していた北教組は、この時、東京・福岡の修正案に賛成する立場をとった。しかしすでに変質を進めていた北教組本部は、この教特法攻撃にたいしては社会党構改派系と向坂派系とのあいだで動揺する中間主義的な対応をとったのだ。その「北海道修正案」では「労基法三十七条にもとづく割増賃金を要求し、超勤手当制度確立の基本としてたたかう」が、「なお教育の特殊性にかんがみ特別手当を要求する」という、本部の「二本立て方針」を受け入れる内容のものだったのだ。

このような危機的現実のなかで、われわれ革命的・戦闘的労働者は日教組本部ダラ幹や、反主流派の日共系の「聖職主義」とたたかいぬいた。超勤拒否の職場闘争を、各分会を基礎にたたかい、それを支部段階の闘いとしておしあげたたかった。日教組本部の裏切りに抗して、教特法制定反対の闘いは全国に燃えひろがった。政府・文部省は、この教育労働者の全国的な闘いを押しつぶすために、人事院に「教員には、その職務と勤務態様の特殊性に基づき、超過勤務手当、および休日給はなじまないので支給しないこととする」という勧告を出させたのであった(一九七一年二月八日)。政府・自民党は、この勧告をもって、一九六二年以来の超勤問題をブルジョア的に一挙に解決せんとして、教特法法案を国会に上程した(一九七一年二月十六日)。政府・文部省は、日教組中央および日共系のダラ幹どもの裏切りに助けられ、一九七一年五月二十四日、教特法の制定を強行したのだ(一九七二年一月一日施行)。

一九六二年以来の教育労働者の超勤問題に、ブルジョア的に決着をつけたのである。ここにおいて教育労働者は、五十二年後の今日まで続く手痛い敗北を喫してしまったのである。

われわれは日教組民同系の闘争歪曲をいかにのりこえて闘いぬいたか

教特法成立にかけた政府・文部省の階級的狙いを暴きだす

われわれは当時、政府・文部省による教特法の制定、その「階級的本質は、技術革新によって合理化＝近代化されてきた現段階の日本資本主義の産業構造および直接的生産過程の技術的構成の高度化・複雑化に対応しうる教育へと現行教育の内容を近代化し、制度を帝国主義的に再編成する、そのひとつの中心環をなす攻撃として高度な専門的能力をもつ教育労働者の確保・育成をめざすものである」(『教育労働者』第九号、黒部文三論文四三頁、一九七二年)ことを断固として暴きだしてたたかった。その具体的構造について、「①『教師=専門職』論の理念にのっとって、教育労働者の労働過程において標準労働日の法的制約性を緩和し、その量的・時間的延長を可能とする法的根拠をつくり出すこと、②それをおしすすめるために、たんにイデオロギー攻撃にとどまらず、現実的に超勤にかんする労組の三六協定締結権を剥奪し、そうすることをとおして、日教組の『職能団体』化をはかっていくこと、③こうして教育労働者のなかに、ブルジョア支配階級の要請に合致した職業意識をうえつけつつ一方的に超勤を強要し、しかもその労働の『専門性』のゆえに三七条にもとづく手当の支給を否定したうえで、即自的な教育労働者の職業意識・ものとり主義的意識を活用しつつ教職調整額を支給することによって、教育労働者の労働をまるがかえ(いわゆる包括的労働なるもの)にしていくこと、これらのことを統一的におしすすめるもの」(同上、四三〜四四頁)であることを鮮明にしてたたかいぬいたのだ。

日教組指導部の「二本だて手当要求」方針にたいする革命的批判

われわれは、日教組指導部の教特法制定攻撃の分析の誤りや「教育労働の特性」論や「教師=労働者・専門職」論のマヤカシを暴きだし、これにもとづいて日教組民同系本部による運動を左翼的にのりこえたたかうことを追求してきた。

日教組民同系指導部ならびに日共系反主流派のダラ幹どもは、政府・文部省の「専門職」教師論に抗することなく「教育労働者の特性」論を受け入れた。それは日教組執行部が、「ＩＬＯ・ユネスコ勧告」に依拠して教師=専門職論を受け入れ、政府・文部省と同じ土俵に立っていたからである。だから、せいぜい戦前の天皇制ボナパルティズム権力下の「聖職」論への逆戻りであるなどとするアナクロニズム的な批判を投げつけることしかできなかったのだ。

彼らは、超勤について「無定量の労働」を強いるものであると量的に問題にはしても、決して教特法の本質的な狙いである、技術革新にもとづく直接的生産過程の技術化に不可欠な技術性の高い労働力の育成とそれを可能とする教育労働者の教育労働の質的向上を図るという政府・ブルジョアジーの狙いを明らかにすることができなかったのだ。彼らは、超勤反対の職場闘争を組織することは放棄したうえで、超勤にたいする手当を要求し、この超勤手当を獲得する手段として、ものとり主義的に労基法三十六・三十七条の適用を主張したにすぎない。そして、教師の本務の確定や雑務排除、定員増員などの改良主義的要求に問題をずらしていったのである。

われわれは、政府・文部省の教師＝「専門職」論の反労働者性を暴露しつつ、職業意識に汚染されている即自的な労働者に自覚をうながし、教育労働者を階級的に組織化することをも教特法制定反対闘争の組織化の過程で実現してきたのだ。

全国のたたかう教育労働者諸君！　いままた日教組指導部は、給特法を未来永劫固持しつづけようとする政府・文科省の悪らつな攻撃にたいして大裏切りをおこなっている。政府・文科省への怒りもなく「長時間労働の是正」「給特法の廃止・抜本的見直し」をかたちばかり掲げ、組合員にたいして文科省のパブコメへの参加や「文科省への手紙」などを指示し、政府・文科省への請願運動に闘いをゆがめているのだ。これを断じて許してはならない。「新たな職」＝「主任教諭」の設置阻止！　給特法の撤廃をかちとろう！

註　一九七〇年代当時からわれわれが「教特法」と呼んでいた法律の正式名は「国立及び公立の義務教育諸学校等の教育職員の給与等に関する特別措置法」である。（今日では、二〇〇三年二月の国立大学の独立行政法人化にともなって、その法律名からは「国立及び」が削除されている。）現在、日教組本部がいう「給特法」とここでいう「教特法」とは同一の法律を指している。この論文では、七〇年代当時のわれわれの闘いについては「教特法」と表記し、現在的な闘いにかんするときは「給特法」と表記して使い分けている。

国際・国内の階級情勢と革命的左翼の闘いの記録（二〇二四年四月〜五月）

国際情勢

4・1 イスラエルがシリア・ダマスカスのイラン大使館をミサイル攻撃。革命防衛隊司令官ら13名死亡
▽親中派の台湾元総統・馬英九が中国の招待で訪中
▽インドネシア次期大統領プラボウォが真っ先に訪中
4・2 イスラエル軍がガザ地区で米NGOの車を空爆
▽北朝鮮が極超音速固体燃料ミサイル「火星16」発射
4・4 フィンランド政府がロシアの意図的な移民誘導に抗議し東部国境を無期限に閉鎖
4・5 国連人権委員会がイスラエルへの兵器提供国に停止を求める決議を採択
4・6 訪中した米財務長官イエレンが副首相・何立峰と経済対話（5日〜）、貿易協議の継続を合意
4・8 米英豪国防相がAUKUSの共同声明で先端技術分野における「同志国」日本との協力をうちだす
4・10 韓国総選挙で野党「共に民主党」が単独過半数
4・11 中国全人代常務委員長・趙楽際が訪朝
▽露軍がウクライナ全土のエネルギー施設攻撃を開始
4・12 米・比両政府が比沿岸警備隊への中国艦艇の攻撃が米比相互防衛条約の適用対象になると確認
4・14 イランがイスラエル本土と占領地ゴラン高原をドローンとミサイルで攻撃。 G7首脳がイラン非難
4・15 米EV大手テスラが世界で従業員10％削減の報
4・16 訪中した独首相ショルツと習近平とが会談
4・17 米政府が中国製鉄鋼・アルミへの関税を3倍に
▽露軍がウクライナ北部をミサイル攻撃、18人死亡。

国内情勢

4・1 政府が軍事力増強のための「特定利用空港・港湾」として選定した7道県16の空港・港湾の整備費用370億円を24年度予算に計上
4・2 経済産業省が次世代半導体国産化事業ラピダスに追加6千億円、累計約1兆円を支援
▽静岡県知事・川勝平太が職業差別発言で辞意
4・3 首相・岸田文雄が訪日中のインドネシア次期大統領プラボウォと安保協力強化を確認
4・4 自民党党紀委員会が政治資金事件の処分発表。岸田と二階は処分なし、塩谷と世耕に「離党勧告」、「党員資格停止1年」が下村・西村、同半年が高木など。世耕が離党
4・7 米日豪比4ヵ国艦隊が南シナ海フィリピンEEZ内で初の海上共同行動
4・9 「子育て支援金」負担金の政府試算発表。年収200万円で26年度毎月200円、28年度350円をそれぞれ健康保険料に上のせ
4・10 ホワイトハウスで日米首脳会談。共同声明で「グローバルなパートナーシップ」、米日両軍の「指揮統制」の連携強化、軍需産業の連携のための関係省庁間定期協議など強調
4・11 初の日米比首脳会談で南シナ海での中国の活動非難、3ヵ国の防衛・海上保安機関の共同訓練、重要鉱物資源の供給強化などで合意
▽岸田が米議会上下両院合同総会で演説、「疲

革命的左翼の闘い

4・10 全学連が日米首脳会談に反対し首相官邸前闘争。「日米グローバル同盟強化粉砕」のシュプレヒコール
▽全学連北海道地方共闘会議と反戦青年委員会が日米首脳会談に反対し米総領事館に抗議闘争（札幌市）
▽奈良女子大学学生自治会と神戸大生の会が自民党大阪府連に日米首脳会談反対の抗議闘争（大阪市）
4・11 沖縄県学連が日米首脳会談に反対し米総領事館に抗議闘争（浦添市）
4・13 奈良女子大自治会と神戸大生の会が「イスラエルはラファを攻撃するな！ 関西アクション」で奮闘（大阪市）。集会とデモを戦闘的に牽引
4・14 琉球大学と沖縄国際大学の闘う学生が辺野古新基地建設反対の県民大集会（名護市瀬嵩の浜、主催・オール沖縄会議）に決起。カヌー隊が海上闘争。わが同盟が沖縄県委員会署名の『解放』号外を配布
4・25 沖縄県反戦が「辺野古・大浦湾海上大行動」（ヘリ基地反対協・海上行動チーム）の先頭で奮闘
4・27 わが同盟が「連合」メーデー中央

EU臨時首脳会合で防空システム早期供与を決定
▽イスラエルが国連安保理で「UNRWA（国連パレスチナ難民救済事業機関）はハマスの一部」と主張
4・18 国連安保理でパレスチナの国連加盟議案を賛成12ヵ国ながら米の拒否権で否決
▽**米コロンビア大でガザ攻撃反対の座り込み学生108人逮捕。学生が占拠中のホールに警官突入、逮捕者300人以上**（30日）。**全米と欧州の大学に闘争波及**
4・19 イスラエルがイラン中部イスファハンを攻撃
4・20 **米下院でウクライナ支援緊急予算案9兆4000億円が民主党と共和党の一部の賛成で可決。イスラエル支援分4兆円も同時に可決**（24日成立）
4・22 米比軍事演習「バリカタン」。豪仏が正式参加、日韓越インドネシアなど14ヵ国がオブザーバー参加（～27日）
▽イスラエル軍撤退後のハンユニス・ナセル病院で手足を縛られるなどした352遺体発見
4・24 国連安保理で宇宙空間への大量破壊兵器配備禁止決議案が賛成13ヵ国、露の拒否権行使で否決
4・30 ジョージアで弾圧立法（通称「ロシア法」）に抗議し首都トビリシで議会前封鎖、警官隊と衝突。弾圧立法は可決・成立（5月28日）
5・1 コロンビアがガザでのジェノサイドを非難しイスラエルと断交。トルコがイスラエルとの貿易停止
5・6 イスラエルがラファへの地上作戦開始を宣言
▽習近平がフランス、セルビア、ハンガリー歴訪（～9日）。マクロンのロシア支援停止要請を拒否。セルビア、ハンガリーとは「一つの中国」を確認

れた米国を日本は支える」と強調
▽防衛相・木原稔が沖縄県うるま市での陸自新訓練場設置計画を白紙撤回
4・15 東電が柏崎刈羽原発7号機への「燃料装荷」を開始。制御棒を動かせなくなる事故で16時間作業を中断（17日）
4・16 佐賀県知事・山口祥義が玄海町での放射性廃棄物最終処分場は「受け入れない」と表明
4・17 23年度貿易収支が約5・9兆円の赤字、3年連続の赤字
4・19 23年度消費者物価が生鮮品を除き2・8%上昇
4・20 海上自衛隊ヘリ2機が鳥島沖合で訓練中に空中衝突し墜落、8名死亡
4・23 中国の旧日本軍従軍慰安婦遺族が日本政府の謝罪と賠償を求め山西省高等人民法院に中国初の提訴
4・26 24年度の防衛関連予算が8・9兆円でGDP比1・6%に
▽**日銀総裁・植田和男が「円安は基調的な物価上昇に影響なし」と明言。円が1ドル＝160円まで急落し日銀が「覆面介入」**（29日）
▽佐賀県玄海町議会が高レベル放射性廃棄物最終処分場設置にむけた文献調査を求める請願を賛成多数で採択。5月10日に町長が受け入れを表明、原発立地自治体で初
4・27 「連合」メーデーに2万8800人、首相・岸田および招いた会長・芳野友子にヤジ
4・28 衆院補選。島根1区で自民党敗退、東京15

集会（代々木公園）に戦闘的檄。「大幅一律賃上げ獲得・大軍拡反対・改憲阻止・プーチンの戦争反対・ガザ人民皆殺し弾劾」を呼びかける
▽わが同盟が九州各地の「連合」メーデーで情宣――「連合福岡」（福岡市）／「連合北九州」（北九州市）／「連合鹿児島」（鹿児島市）
4・30 金沢大学共通教育学生自治会が首都圏・東海の闘う学生とともに岸田政権の大軍拡・改憲阻止の集会・デモ（金沢市）。金沢大角間キャンパスで学内集会（4月25日）
5・1 わが同盟が「全労連」中央メーデー（代々木公園）で情宣、改憲阻止・ウクライナ反戦・ガザジェノサイド弾劾を訴える。「全労協」日比谷メーデー（日比谷野音）で情宣
▽わが同盟が全国各地のメーデーに戦闘的檄――「連合北海道」（札幌市）／「連合石川」（金沢市）／「愛労連」（名古屋市）／「連合大阪」（大阪市）／「大阪労連」（大阪市）
5・3 首都圏の闘う学生が早稲田・高田馬場で「怒りの学生デモ」。「岸田政権の大軍拡・改憲阻止、ロシアのウクライナ侵略反対、ガザ人民ジェノサイド反対」の声を轟かす

5・7 プーチンが通算5期目の大統領就任
▽イスラエル軍がラファ検問所を占拠、援助物資遮断
5・8 アルメニアがCSTOに資金拠出停止
5・9 モスクワで対独戦勝記念式典。プーチンが欧米の「植民地主義」非難、「核戦力は臨戦態勢」と演説
5・10 **ロシア軍がハルキウ州北から越境攻撃。ウクライナ軍が国境5キロの都市から撤退、住民避難**（14日）
5・12 ロシア政権中枢新人事。国家安全保障会議書記パトルシェフ退任、14日に大統領補佐官に。国防相ショイグが安保会議書記、国防相は軍需産業のベロウソフ。パトルシェフの子ドミトリーが副首相に
5・14 米が未臨界核実験。バイデン政権で3回目
▽バイデン政権が中国製EVへの関税を4倍の100％に
▽仏領ニューカレドニアで仏系住民の投票権拡大に反対し独立派がデモ。全域に非常事態宣言（15日）
▽米台海軍の4月西太平洋での共同訓練を台湾が公表
5・15 イスラエル国防相ガラントが戦後ガザのイスラエル統治に反対、戦時内閣の野党党首ガンツが支持
5・16 **習近平とプーチンが北京で会談。「新時代の包括的な戦略パートナーシップの深化」を謳う共同声明**
5・17 イスラエル軍がガザ北部ジャバリヤを徹底破壊
5・19 イラン大統領ライシと外相らのヘリが同国北西部山中に墜落、全員死亡
▽ロシア軍がハルキウにミサイル攻撃、12人死亡
▽米・ニジェールが共同声明で米軍撤退を確認
5・20 台湾新総統・頼清徳が就任演説で「一つの中国」に言及せず。中国は「危険なシグナル」と非難。中国軍が「懲罰」と称し台湾包囲の軍事演習（23日）
▽国際刑事裁判所（ICC）がイスラエルのネタニヤ

区と長崎3区で自民不戦敗、3ヵ所で立民が勝利
5・2 日米豪比4ヵ国防衛相会談で対中国の安保協力を確認
5・3 岸田がブラジルを訪問し大統領ルラと会談、環境分野などで協力を合意
5・8 参院憲法審査会の「緊急時への対応」をめぐる自由討議に立民が応じ開催
▽トヨタ3月期決算で純利益が国内製造業初の4・9兆円
5・9 自公が政治資金規正法改定案に大筋合意。その後、政策活動費・政治資金パーティー券購入者公開をめぐり対立、自民が単独提出（17日）
▽重工3社（三菱、川崎、IHI）の3月期受注高が防衛特需で前年比2・2倍の3・18兆円
▽3月の実質賃金が前年同月比2・5％下落、史上最長の24ヵ月連続減
5・10 重要経済安保情報保護・活用法（セキュリティ・クリアランス法）、統合作戦司令部を自衛隊に新設する改定自衛隊法・改定防衛省設置法が参院で可決・成立
▽23年度の消費支出が前年度比3・2％減少と総務省が発表
▽23年度の経常収支黒字が過去最大の25兆円超、前年比2・8倍、自動車など輸出増で
5・14 シャープが大型液晶パネル生産からの撤退、大量人員削減をうちだす

▽わが同盟が「2024憲法大集会」（東京・有明防災公園、主催・実行委）で大情宣。革命的・戦闘的労働者が結集した3万2000人の労働者とともに集会の戦闘的高揚のために奮闘
▽金沢大共通教育学生自治会が金沢市内で開かれた「護憲集会」と「県民集会」に連続決起、集会とデモを戦闘的に牽引。わが同盟が情宣
▽奈良女子大自治会と神戸大生の会が自民党大阪府連と在大阪・神戸米総領事館に抗議行動（大阪市）。改憲反対「おおさか総がかり」集会に結集し労働者・市民の先頭で大阪市街をデモ
▽北大農学部学生自治会が「STOP改憲！憲法集会」（札幌市）に結集し意気高くデモ。わが同盟が情宣
5・18〜19 **沖縄県学連と全学連派遣団が「平和行進・県民大会」**（宜野湾市、主催・同実行委員会）**を戦闘的に牽引**。全県全国から結集した2300名の労働者の先頭で米軍普天間基地を怒りのデモで包囲。闘う学生は「日米グローバル同盟粉砕、〈プーチンの戦争〉を打ち砕け、イスラエルのラファ総攻撃を許すな」の大横断幕を掲げたたかう／「県民大会」終了後、闘う学生はうるま市陸上自衛隊勝連分屯地前で抗議闘争（18日）。名護市辺野古の

フ、ガラントとハマス幹部3人の逮捕状請求
5・21　EUが世界初のAI規制法制定、世界標準化へ
▽EU理事会が凍結中のロシア資産から生じる「利益」のウクライナ支援活用で最終合意
5・22　スペイン、ノルウェー、アイルランドがパレスチナを国家として承認。スロベニアも承認（30日）
5・23　プーチンが露中銀などの資産の米による没収に対抗し露国内米資産の差し押さえを認める大統領令
5・24　国際司法裁判所（ICJ）がイスラエルにラファ攻撃の即時停止を命令
▽ベラルーシでプーチンとルカシェンコが会談。戦術核兵器使用を想定した軍事演習について協議
5・26　イスラエルが「人道地区」に指定していたラファ西部の難民キャンプを攻撃、死者45人以上。ラファ近郊のキャンプを攻撃、21人死亡（28日）
5・27　北朝鮮が軍事偵察衛星打ち上げに失敗・爆発
5・28　ベルギーがウクライナと安保関連2国間協定締結、28年までにF16戦闘機30機供与、今年中に複数機
5・29　香港警察が国家安全維持条例違反で活動家7名を初逮捕。国家安全維持法で14人に有罪（30日）
▽スウェーデンがウクライナに2千億円の武器援助決定、露領内への使用も認める。独も認める（31日）
5・30　バイデンがハルキウ周辺に限定して米兵器での露国内への攻撃を一部許可。長射程兵器は供与せず
▽トランプの不倫口止め料をめぐる裁判で有罪判決
▽「中国・アラブ諸国協力フォーラム」が北京で開催
5・31　バイデンがガザ停戦交渉の「3段階交渉」をイスラエルが提案と発表。ネタニヤフは内容を否定

5・15　島根原発2号機の運転差し止め仮処分申し立てを広島高裁松江支部が却下
▽政府・首相官邸が辺野古新基地建設をめぐり沖縄県を排除し名護市との直接協議を開始
5・16　東京大学が学費値上げ検討と各紙報道
▽東芝が全社員の6%、4000人を11月末までに削減と発表
▽24年1―3月期GDPが前期比0・5%減、年率換算2・0%減
5・22　東京債券市場で長期金利が11年ぶり1・0%台に上昇
5・24　防衛省が6月の米軍大演習「バリアント・シールド24」に自衛隊初参加と発表
▽4月の消費者物価上昇率2・2%、32ヵ月連続の上昇
5・26　静岡県知事選で立民・国民推薦候補の鈴木康友が自民推薦候補を破り当選
5・27　**日中韓首脳会談を4年半ぶりにソウルで開催。FTA交渉加速など6分野で協力推進の共同宣言を採択**
5・29　原子力規制委員会が関西電力高浜原発3・4号機の60年までの運転延長を認可
5・30　有事に国が地方に「指示権」を行使できる旨の地方自治法改定案が衆院本会議で可決
5・31　岸田が公明・維新と政治資金規正法改定内容を合意。パーティー券の公開基準を5万円超に引き下げ、政策活動費上限を設定し10年後に領収書公開

大浦湾埋め立て現地での集会とデモを戦闘的にかちとる（19日）
5・19　わが同盟が「金権腐敗の裏金議員に未来を託せない」集会（名古屋市、主催・あいち総がかり行動）で「大軍拡・安保強化・改憲阻止」の情宣
5・26　北海道大学の学生と闘う労働者が「反戦デモ」。「大軍拡・改憲阻止、ウクライナ侵略反対、ガザ人民虐殺弾劾」を呼びかけ札幌市街をデモ
5・29　国学院大学で文連総会を盛大に開催し、その後「学費値上げ反対」「自治サークル活動の保障」を求めて対当局要請行動を100名で実現

『新世紀』バックナンバー

No.331 2024年7月

アジア版NATOの構築・強化

大軍拡・改憲阻止／南西諸島の軍事要塞化粉砕／最先端通信技術の軍事利用／モスクワ近郊銃乱射事件／ラファ総攻撃を許すな／闘うウクライナ人民と連帯して／24春闘　労使一体の低額妥結／能登地震で続く断水／「差別表現」再考

No.330 2024年5月

ロシアのウクライナ侵略二年

〈プーチンの戦争〉を粉砕せよ／労学統一行動に起て／首都に反戦の火柱／闘うウクライナ人民と連帯して・「左翼」のデタラメな10の主張　他／2・11労働者集会第一報告、第二報告／郵政春闘／能登半島地震／労働者に脅える習近平

No.329 2024年3月

暗黒の世界を革命的に転覆せよ

安保強化・改憲粉砕／愛大当局の学生自治会破壊弾劾／国立大法人法の改悪粉砕／国際卓越研究大／現代世界経済の腐蝕／イスラエルのガザ人民殺戮を許すな／ロッタ・コムニスタ批判／UAWスト／日本郵政のヤマトとの業務提携

No.328 2024年1月

パレスチナ人民ジェノサイドを許すな

イスラエルのガザ攻撃弾劾／革マル派結成60周年9・24革共同集会／熱核戦争勃発の危機を突き破れ／灼熱化する地球／愛大生・名大生への不当捜索弾劾／関西労働者の逮捕弾劾／職務給導入／電機連合・自治労・自治労連・全印総連

新 世 紀　第332号（隔月刊）

日本革命的共産主義者同盟　革命的マルクス主義派　機関誌©

発行日　2024年 8 月 10 日

発行所　解　放　社

〒162-0041　東京都新宿区早稲田鶴巻町 525-3

電話 03-3207-1261　　振替 00190-6-742836

URL http://www.jrcl.org/

発売元　有限会社　Ｋ Ｋ 書 房

〒162-0041　東京都新宿区早稲田鶴巻町 525-5-101

電話 03-5292-1210　　振替 00180-7-146431

URL http://www.kk-shobo.co.jp/

ＩＳＢＮ 978-4-89989-332-5　　C0030

落丁・乱丁本はおとりかえいたします。